人生需要探索，也要有些执着。

诗 与 远 方 系 列

▲

# 总有一个念想，推着我们向前

爱默生 海明威 梭罗 等著

时代出版传媒股份有限公司
北 京 时 代 华 文 书 局

**图书在版编目（CIP）数据**

总有一个念想，推着我们向前 / ( 美 ) 爱默生等著 ; 方圃译 .
-- 北京 : 北京时代华文书局 , 2016.6
（诗与远方系列）
ISBN 978-7-5699-0925-8

Ⅰ . ①总… Ⅱ . ①爱… ②方… Ⅲ . ①散文集－世界 Ⅳ . ① I16

中国版本图书馆 CIP 数据核字 (2016) 第 098879 号

**总有一个念想，推着我们向前**

著　　者 | ［美］爱默生等
译　　者 | 方　圃

出 版 人 | 杨红卫
选题策划 | 陈丽杰
责任编辑 | 陈丽杰　袁正方
装帧设计 | 龙　梅　段文辉
责任印制 | 刘　银　訾　敬

出版发行 | 时代出版传媒股份有限公司 http: //www.press-mart.com
北京时代华文书局 http: //www.bjsdsj.com.cn
北京市东城区安定门外大街136号皇城国际大厦A座8楼
邮编：100011　电话：010－64267955　64267677
印　　刷 | 北京富诚彩色印刷有限公司　010 - 60904806
（如发现印装质量问题，请与印刷厂联系调换）
开　　本 | 880mm×1230mm　1/32
印　　张 | 7
字　　数 | 230 千字
版　　次 | 2016 年 7 月第 1 版　2018 年 7 月第 2 次印刷
书　　号 | ISBN 978-7-5699-0925-8

定　　价 | 36. 00 元

# 目录
CONTENTS

## 一
## 向着温暖和爱，怀着永久的憧憬和追求

## 二
# 真正的高贵是优于过去的自己

## 三
## 每个人都是自己命运的设计师

## 四
## 我们何其幸运

# 一

# 向着温暖和爱，怀着永久的憧憬和追求

人活一世，最幸福的就是找到自己喜欢的事。拥有真正喜欢的事情的人，才会把生活过得有滋有味，进而可能成为有滋有味的人。

# 我要能做自己的自由，和敢做自己的胆量

林语堂

我要一间自己的书房，可以安心工作。并不要怎样清洁齐整，应有几分凌乱，七分庄严中带三分随便，住起来才舒服。天花板下，最好挂一盏佛庙的长明灯，入其室，稍有油烟气味。此外又有烟味、书味，及各种不甚了了的房味。最好是沙发上置一小书架，横陈各种书籍，可以随意翻读。种类不要多，但不可太杂，只有几种心中好读的书，以及几次重读过的书——即使是天下人皆詈为无聊的书也无妨。不要理论太牵强乏味之书，只以合个人口

味为限。西洋新书可与野叟曝言杂陈，孟德斯鸠可与福尔摩斯小说并列。

我要一个可以依然故我不必拘牵的家庭。我要在楼下工作时，听见楼上妻子言笑的声音，而在楼上工作时，听见楼下妻子言笑的声音。我要未失赤子之心的儿女，能同我在雨中追跑，能像我一样的喜欢浇水浴。我要一小块园地，不要有遍铺绿草，只要有泥土，可让小孩搬砖弄瓦，浇花种菜，喂几只家禽。我要在清晨时，闻见雄鸡喔喔啼的声音。我要房宅附近有几棵参天的乔木。

我要几位知心友，不必拘守成法，肯向我尽情吐露他们的苦衷。几位可与深谈的友人，同时能尊重我的癖好与我的主张。

我要一位能做好的清汤，善烧清菜的好厨子。我要一位很老的老仆，非常佩服我，但是也不甚了了我所做的是什么文章。

我要一套好藏书，几本明人小品，壁上一帧李香君画像让我供奉，案头一盒雪茄，家中一位了解我的个性的夫人，能让我自由做我的工作。

我要院中几棵竹树，几棵梅花。我要夏天多雨冬天爽亮的天气，可以看见极蓝的青天，如北平所见的一样。

我要有能做我自己的自由，和敢做我自己的胆量。

# 向温暖和爱，怀着永久的憧憬和追求

萧红

一九一一年，在一个小县城里边，我生在一个小地主的家里。那县城差不多就是中国的最东最北部——黑龙江省——所以一年之中，倒有四个月飘着白雪。

父亲常常为着贪婪而失掉了人性。他对待仆人，对待自己的儿女，以及对待我的祖父都是同样的吝啬而疏远，甚至于无情。

有一次，为着房屋租金的事情，父亲把房客的全套的马车赶了过来。房客的家属们哭着诉说着，向我的祖父跪了下来，于是祖父把两匹棕色的马从车上解下来还了回去。

为着这匹马，父亲向祖父起着终夜的争吵。“两匹马，咱们是算不了什么的，穷人，这匹马就是命根。”祖父这样说着，而父亲还是争吵。九岁时，母亲死去。父亲也就更变了样，偶然打碎了一只杯子，他就要骂到使人发抖的程度。后来就连父亲的眼睛也转了弯，每从他的身边经过，我就像自己的身上生了针刺一样；他斜视着你，他那高傲的眼光从鼻梁经过嘴角而后往下流着。

所以每每在大雪中的黄昏里，围着暖炉，围着祖父，听着祖父读着诗篇，看着祖父读着诗篇时微红的嘴唇。

父亲打了我的时候，我就在祖父的房里，一直面向着窗子，从黄昏到深夜——窗外的白雪，好像白棉花一样飘着；而暖炉上水壶的盖子，则像伴奏的乐器似的振动着。

祖父时时把多纹的两手放在我的肩上，而后又放在我的头上，我的耳边便响着这样的声音：

“快快长吧！长大就好了。”

二十岁那年，我就逃出了父亲的家庭。直到现在还是过着流浪的生活。

“长大”是“长大”了，而没有“好”。

可是从祖父那里，知道了人生除掉了冰冷和憎恶而外，还有温暖和爱。

所以我就向这“温暖”和“爱”的方面，怀着永久的憧憬和追求。

# 做不了天才，就做培养天才的泥土

鲁迅

我自己觉得我的讲话不能使诸君有益或者有趣，因为我实在不知道什么事，但推托拖延得太长久了，所以终于不能不到这里来说几句。

我看现在许多人对于文艺界的要求的呼声之中，要求天才的产生也可以算是很盛大的了，这显然可以反证两件事：一是中国现在没有一个天才，二是大家对于现在的艺术的厌薄。天才究竟有没有？也许有着罢，然而我们和别人都没有见。倘使据了见闻，就可以说没有；不但天才，还有使天才得以生长的民众。

天才并不是自生自长在深林荒野里的怪物，是由可以使天才生长的民众产生，长育出来的，所以没有这种民众，就没有天才。有一回拿破仑过Alps山，说，“我比Alps山还要高！”这何等英伟，然而不要忘记他后面跟着许多兵；倘没有兵，那只有被山那面的敌人捉住或者赶回，他的举动、言语，都离了英雄的界线，要归入疯子一类了。所以我想，在要求天才的产生之前，应该先要求可以使天才生长的民众。——譬如想有乔木，想看好花，一定要有好土；没有土，便没有花木了；所以土实在较花木还重要。花木非有土不可，正同拿破仑非有好兵不可一样。

然而现在社会上的论调和趋势，一面固然要求天才，一面却要他灭亡，连预备的土也想扫尽。举出几样来说：

其一就是“整理国故”。自从新思潮来到中国以后，其实何尝有力，而一群老头子，还有少年，却已丧魂失魄地来讲国故了，他们说，“中国自有许多好东西，都不整理保存，倒去求新，正如放弃祖宗遗产一样不肖。”抬出祖宗来说法，那自然是极威严的，然而我总不信在旧马褂未曾洗净叠好之前，便不能做一件新马褂。就现状而言，做事本来还随各人的自便，老先生要整理国故，当然不妨去埋在南窗下读死书，至于青年，却自有他们的活学问和新艺术，各干各事，也还没有大妨害的，但若拿了这面旗子来号召，那就是要中国永远与世界隔绝了。倘以为大家非此不可，那更是荒谬绝伦！我们和古董商人谈天，他自然总称赞他的古董如何好，然而他决不痛骂画家、农夫、工匠等类，说是忘记了祖宗：他实在比许多国学家聪明得远。

其一是“崇拜创作”。从表面上看来，似乎这和要求天才的步调很相合，其实不然。那精神中，很含有排斥外来思想，异域情调的分子，所以也就是可以使中国和世界潮流隔绝的。许多人对于托尔斯泰、都介涅夫、陀思妥夫斯奇的名字，已经厌听了，然而他们的著作，有什么译到中国来？眼光囚在一国里，听谈彼得和约翰就生厌，定须张三李四才行，于是创作家出来了，从实说，好的也离不了刺取点外国作品的技术和神情，文笔或者漂亮，思想往往赶不上翻译品，甚者还要加上些传统思想，使他适合于中国人的老脾气，而读者却已为他所牢笼了，于是眼界便渐渐地狭小，几乎要缩进旧圈套里去。作者和读者互相为因果，排斥异流，抬上国粹，哪里会有天才产生？即使产生了，也是活不下去的。

这样的风气的民众是灰尘，不是泥土，在他这里长不出好花和乔木来！

还有一样是恶意的批评。大家的要求批评家的出现，也由来已久了，到目下就出了许多批评家。可惜他们之中很有不少是不平家，不像批评家，作品才到面前，便恨恨地磨墨，立刻写出很高明的结论道，“唉，幼稚得很。中国要天才！”到后来，连并非批评家也这样叫喊了，他是听来的。其实即使天才，在生下来的时候的第一声啼哭，也和平常的儿童的一样，决不会就是一首好诗。因为幼稚，当头加以戕贼，也可以萎死的。我亲见几个作者，都被他们骂得寒噤了。那些作者大约自然不是天才，然而我的希望是便是常人也留着。

恶意的批评家在嫩苗的地上驰马，那当然是十分快意的事；然而遭殃的是嫩苗——平常的苗和天才的苗。幼稚对于老成，有如孩子对于老人，决没有什么耻辱；作品也一样，起初幼稚，不算耻辱的。因为倘不遭了戕贼，他就会生长、成熟、老成；独有老衰和腐败，倒是无药可救的事！我以为幼稚的人，或者老大的人，如有幼稚的心，就说幼稚的话，只为自己要说而说，说出之后，至多到印出之后，自己的事就完了，对于无论打着什么旗子的批评，都可以置之不理的！

就是在座的诸君，料来也十之九愿有天才的产生罢，然而情形是这样，不但产生天才难，单是有培养天才的泥土也难。我想，天才大半是天赋的；独有这培养天才的泥土，似乎大家都可以做。做土的功效，比要求天才还切近；否则，纵有成千成百的天才，也因为没有泥土，不能发达，要像一碟子绿豆芽。

做土要扩大了精神，就是收纳新潮，脱离旧套，能够容纳，了解那将来产生的天才；又要不怕做小事业，就是能创作的自然是创作，否则翻译、介绍、欣赏、读、看、消闲都可以。以文艺来消闲，说来似乎有些可笑，但究竟较胜于戕贼他。

泥土和天才比，当然是不足齿数的，然而不是坚苦卓绝者，也怕不容易做；不过事在人为，比空等天赋的天才有把握。这一点，是泥土的伟大的地方，也是反有大希望的地方，而且也有报酬——譬如好花从泥土里出来，看的人固然欣然地赏鉴，泥土也可以欣然地赏鉴，正不必花卉自身，这才心旷神怡的——假如当作泥土也有灵魂地说。

# 当我真正开始爱自己

查理·卓别林

当我真正开始爱自己，
我才认识到，所有的痛苦和情感的折磨，
都只是提醒我：活着，不要违背自己的本心。
今天我明白了，这叫作，
“真实”。

当我真正开始爱自己，
我才懂得，把自己的愿望强加于人，
是多么的无礼，就算我知道，时机并不成熟，
那人也还没有做好准备，
就算那个人就是我自己，
今天我明白了，这叫作，
“尊重”。

当我开始爱自己，
我不再渴求不同的人生，
我知道任何发生在我身边的事情，
都是对我成长的邀请。
如今，我称之为，
“成熟”。

当我开始真正爱自己，
我才明白，我其实一直都在正确的时间，
正确的地方，发生的一切都恰如其分。
由此我得以平静。
今天我明白了，这叫作，
“自信”。

当我开始真正爱自己，
我不再牺牲自己的自由时间，
不再去勾画什么宏伟的明天。
今天我只做有趣和快乐的事，
做自己热爱，让心欢喜的事，
用我的方式，以我的韵律。
今天我明白了，这叫作，
“单纯”。

当我开始真正爱自己，

我开始远离一切不健康的东西。
不论是饮食和人物，还是事情和环境，
我远离一切让我远离本真的东西。
从前我把这叫作“追求健康的自私自利”，
但今天我明白了，这是，
“自爱”。

当我开始真正爱自己，
我不再总想着要永远正确，不犯错误。
我今天明白了，这叫作，
“谦逊”。

当我开始真正爱自己，
我不再继续沉溺于过去，
也不再为明天而忧虑，
现在我只活在一切正在发生的当下，
今天，我活在此时此地，
如此日复一日。这就叫，
“完美”。

当我开始真正爱自己，
我明白，我的思虑让我变得贫乏和病态，
但当我唤起了心灵的力量，
理智就变成了一个重要的伙伴，

这种组合我称之为，
“心的智慧”。

我们无须再害怕自己和他人的分歧，矛盾和问题，
因为即使星星有时也会碰在一起，
形成新的世界，
今天我明白，这就是，
“生命”！

# 让暴风雨来得更猛烈些吧

高尔基

在苍茫的大海上，风聚集着乌云。在乌云和大海之间，海燕像黑色的闪电高傲地飞翔。一会儿翅膀碰着海浪，一会儿箭一般地直冲云霄，它叫喊着，——在这鸟儿勇敢的叫喊声里，乌云听到了欢乐。

在这叫喊声里，充满着对暴风雨的渴望！在这叫喊声里，乌云感到了愤怒的力量、热情的火焰和胜利的信心。

海鸥在暴风雨到来之前呻吟着，——呻吟着，在大海上面飞窜，想把自己对暴风雨的恐惧，掩藏到大海深处。

海鸭也呻吟着，——这些海鸭呀，享受不了生活的战斗的欢乐：轰隆隆的雷声就把它们吓坏了。

愚蠢的企鹅，畏缩地把肥胖的身体躲藏在峭崖底下……只有高傲的海燕，勇敢地、自由自在地，在翻起白沫的大海上面飞翔。

乌云越来越暗，越来越低，向海面压下来；波浪一边歌唱，一边冲向空中去迎接那雷声。

雷声轰响，波浪在愤怒的飞沫中呼啸着，跟狂风争鸣。看吧，狂风紧紧抱起一堆巨浪，恶狠狠地扔到峭崖上，把这大块的翡翠摔成晨雾和水沫。

海燕叫喊着，飞翔着，像黑色的闪电，箭一般地穿过乌云，翅膀刮起波浪的飞沫。

看吧，它飞舞着像个精灵——高傲的、黑色的暴风雨的精灵，——它一边大笑，它一边高叫……它笑那些乌云，它为欢乐而高叫！

这个敏感的精灵，从雷声的震怒里早就听出困乏，它深信乌云遮不住太阳，——是的，遮不住的！

风在狂吼……雷在轰响……

一堆堆的乌云像青色的火焰，在无底的大海上燃烧。大海抓住金箭似的闪电，把它熄灭在自己的深渊里。闪电的影子，像一条条的火舌，在大海里蜿蜒浮动，一晃就消失了。

——暴风雨！暴风雨就要来啦！

这是勇敢的海燕，在闪电之间，在怒吼的大海上高傲地飞翔。这是胜利的预言家在叫喊：

——让暴风雨来得更猛烈些吧！

## 维持简单的生活，对每个人都是有益的

阿尔伯特·爱因斯坦

我们这些总有一死的人的命运是多么奇特呀！我们每个人在这个世界上都只做一个短暂的逗留。目的何在，却无从知晓，尽管有时候自以为对此若有所感。但是，不必深思，只要从日常生活中就可以明白：有一些熟悉的人，他们的喜悦和健康维系着我们自己的全部幸福；然后是许多我们所不认识的人，他们的命运通过同情的纽带与我们密切结合在一起。

我每天上百次地提醒自己：我的精神生活和物质生活都依靠着别人（包括生者和死者）的劳动，我必须尽力以同样的分量来报偿我所领受了的和至今还在领受着的东西。我强烈地向往着俭朴的生活，并且时常为发觉自己占用了同胞的过多劳动而难以忍受。

我认为，阶级的区分是不合理的，它根植于暴力。

我相信，维持简单淳朴的生活，无论在身体上还是在精神上，对每个人都是有益的。

我完全不相信人类会有那种在哲学意义上的自由。每一个人的行为，不仅受着外界的强迫，而且还要适应内心的必然。叔本华说：“人虽然能够做他所想做的，但不能要他所想要的。”这句话从我青年时代起，就对我是一个真正的启示。在我自己的和别人的生活面临困难的时候，它总是使我们得到安慰，并且永远是宽容的源泉。这种体会可以减轻那种使人气馁的责任感，也可以防止我们过于严肃地对待自己和别人；它还带来一种有着适度幽默的人生观。

要探求一个人自己或一个生物生存的意义或目的，从客观的观点看来，我总觉得是愚蠢可笑的。但是理想不一样，这是任何一个人都有的福祉，理想决定着一个人努力和判断的方向。在这方面，我从来不把安逸和享乐看作生活目的本身——这种伦理基础，我叫它猪栏的理想。我的理想——照亮我的道路，并且不断地给我新的勇气去愉快地正视生活，是真、善和美。

要是没有志同道合者之间的亲切感情，要不是全神贯注于客观世界——那个在艺术和科学工作领域里永远达不到的对象，那么在我看来，生活就是空虚的。人们所努力追求的庸俗的目标——财产、虚荣、奢侈的生活——我总觉得都是可鄙的。

我对社会正义和社会责任的强烈感觉，同我显然的对别人和社会直接接触的淡漠，两者总是形成古怪的对照。我实在是一个“孤独的旅客”，我未曾全心全意地属于我的国家，我的家庭，我的朋友，甚至我最接近的亲人。在所有这些关系面前，我总是感觉到有一定距离并且需要保持孤独——而这种感受正与年俱增。人们会清楚地发觉，同别人的相互了解和协调一致是有限度的，但这不足惋惜。这样无疑有点失去一个人的天真无邪和无忧无虑的心境，但另一方面，他却能够在很大程度上不为别人的意见、习惯和判断所左右，并且能够不受诱惑——把自己的内心平衡建立在一些不可靠的基础之上。

我的政治理想是民主主义：让每一个人都作为个人而受到尊重，而不让任何人成为崇拜的偶像。我自己受到了人们过分的赞扬和尊敬，这不是由于我自己的过错，也不是由于我自己的功劳，而实在是一种命运的嘲弄。

在人生的丰富多彩的表演中，我觉得真正可贵的，不是政治上的国家，而是有创造性的、有感情的个人，是人格。只有个人才能创造出高尚的和卓越的东西，而群众本身在思想上总是迟钝的，在感觉上也总是迟钝的。

讲到这里，我想起了群众生活中最坏的一种表现，那就是使我厌恶的军事制度。一个人能够洋洋得意地随着军乐在队列里行进，单凭这一点就足以使我对他轻视。他之所以长了一个大脑，只是出于误会，单单一根脊髓就可满足他的全部需要了。文明国家的这种罪恶的渊薮，应当尽快加以消灭！由命令而产生的勇敢行为，毫无意义的暴行，以及在爱国主义名义下一切可恶的闹剧，所有这些都使我深恶痛绝！在我看来，战争是多么卑鄙、下流！我宁愿被千刀万剐，也不愿参与这种可憎的勾当！尽管如此，我对人类的评价还是十分高的，我相信，要是人民的健康感情没有受到有计划的破坏——来自那些因为商业利益和政治利益影响的学校和报纸，那么战争这个妖魔早就该绝迹了。

我们所能有的最美好的经验是神秘的经验。它是坚守在真正艺术和真正科学发源地上的基本感情。谁要是体验不到它，谁要是不再有好奇心也不再有惊讶的感觉，他就无异于行尸走肉，他的眼睛是迷糊不清的。就是这种神秘的经验——虽然掺杂着恐怖——产生了宗教。我们认识到某种为我们所不能洞察的东西存在，感觉到那种只能以最原始的形式呈现的最深奥的理性和最灿烂的美——正是这种认识和这种情感构成了真正的宗教感情。

在这个意义上，而且也只是在这个意义上，我才是一个具有深挚宗教感情的人。我无法想象一个会对自己的创造物加以赏罚的上帝，也无法想象它会有类似于我们自己身上的游离的意志。我不能也不愿去想象一个在肉体死亡以后还会继续活着的生命。

让那些脆弱的灵魂，沉溺于恐惧或者可笑的唯我主义吧！

我自己只求满足于探求生命永恒的奥秘，满足于觉察现实世界神奇的结构，满足于窥见它的一鳞半爪，并且以诚挚的努力去领悟在自然界中显示出来的理性的一部分，即使只是其极小的一部分。这样，我也就心满意足了。

# 即使身心疲惫，也要正视人生

文森特·威廉·梵·高

人们总把我看成一个不可理喻的怪人，我要申明的是，我不是什么怪人，尤其不是应从社会中清除的野蛮粗鲁的人。

的确，我常常衣冠不整，样子很寒酸，不能保持很庄重的样子。因为我长期没有收入，我的衣服是我弟弟提奥的旧衣服改的，加上作画时溅上的颜料，我无法成为一个受欢迎的人。

有人说我的性格坏透了，无端地猜疑我，怀疑我做了什么见不得人的事。我不知道该怎么办。

我要说的是，我不追求地位和金钱，不会为世俗去改变我的性格。我热爱生活，只要我牢牢抓住了生活，我的作品就会得到人们的喜爱。

我30岁生日的时候，得到了弟弟提奥真诚的祝福，我非常感谢他。这天，我找到了一个适合扮作挖地人的模特儿，我非常兴奋，简直不敢相信自己只有30岁。

有时候也真觉得我已不小了，特别是在人们认为我是一个失败者的时候。一想到我可能真的会是失败者，我便感到时光如流水一般无情，让自己开心不起来。在平静正常的心境下，我又为我在这30年中学到的东西而高兴，让我对未来的30年——如果我还能活那么长的话——充满了信心。对于一个工作的人来说，30岁刚刚步入人生的稳定期，因此，30岁的人应该以饱满的热情和精力去迎接新的生活，生命中的这段时期一旦过去，有很多事情就无法逆转了。

当然，我们也不能指望从生活中得到我们明明知道得不到的东西。生命只是一个播种的季节，收获是不在这里的。

我说“我是一个艺术家”，有人因此对我进行攻击。我坚信我说的话。在我的理解中，艺术家就是要努力地奋斗，不断地探索，无条件地献身于艺术事业。我已发现了它，了解了它。所谓艺术家，就是包含有永无止境地探索的意思。即使我不断地遭受挫折，也不灰心；即使我身心疲惫，哪怕是处于崩溃的边缘，也要正视人生。

# 只要开始，就不算太晚

摩西奶奶

致我的孩子们：我的百岁感悟

今年，我100岁了，我的人生即将走到尽头。回首我这辈子，在80岁之前，一直不为人所知，日子过得平平淡淡。80岁之后，不期而至的机缘，将我推向了绘画事业的顶峰，进而导致，我作为大器晚成的画家的代表，在美国被广为人知。人生就是这么有意思。

我的丈夫走了很久了，孩子们也依次离我而去，并且同龄人也相继离开。我觉得自己简直返老还童了，越来越喜欢和年轻的曾孙辈们玩成一片，他们疲惫时、厌倦时，便在我身边团团而坐，不介意曾祖母唠叨，听我说些关于陈年往事的人生感悟。

有人问，你怎么那么老了还选择开始画画，是觉得自己会在这方面取得成功吗？我的生活范围一直局限在农场里，原来只是一个没见过大世面的穷农民的女儿、农场工人的妻子。在开始绘画之前，我主要以刺绣为生，之后不得不因关节炎而放弃，这才拿起画笔转攻绘画。如果我没有选择绘画，可能我就养鸡去了。绘画并非关键，关键是要一直充实。不是我选择了绘画，而是绘画选择了我。如果一直画到现在，还是没有人知道我，我想现在的我依然是边平淡度日边画画。最开始画时，我对成功毫无企

图，当成功找上门，我也还是画着画平淡度日。就像曾孙辈眼里的那样，如今的我还是爱絮叨的曾祖母而已。

有年轻人给我写信说，他迷茫困惑，在放弃稳定工作做自己喜欢的事情这个决定上犹豫不决。人活一世，最幸福的就是找到自己喜欢的事。拥有真正喜欢的事情的人，才会把生活过得有滋有味，进而可能成为有滋有味的人。当你做一件事情不求名不求利、全力以赴时，过程中的愉悦、成就感，便是最大的收获与奖励。就像写作的过程是写作的目的，绘画的过程是绘画的奖赏。今年我100岁了，回首过往，一生恍如一天，而这一天里我尽可能地让自己开心、满足，我不知道什么样的生活是更美好的生活，我只是尽最大地努力把生活给我的一切都接受，让每一个当下无所缺憾。

7岁的曾孙女抬头问我，我能像曾祖母一样开始绘画吗？现在开始晚了吗？我把她拥入怀里，抚摸着她的头发，攥着她的小手，注视着她，郑重地答道，谁都可以画画，什么年龄都行。就像谁都能说话一样，谁也都能选择画画这种认知世界、展示世界的方式，不喜欢绘画的人，去选择写作、歌唱或是舞蹈等也一样，关键是选对自己的路，找到你甘心为之付出时间与精力的、干一生爱一生的事业。

人这一辈子，过得太快了，回头看看，甚至快得超乎想象。年轻时，对未来诸多畅想，去远方寻找，以为靠努力就能让一切变好，让自己求有所得。仅仅几年，年龄的逼迫与生活的重压接踵而至，我们无一幸免地被卷入残酷生活的洪流，接受风吹雨打。今年我100岁了，我的孩子们，我多想护你们一生幸福，生活美好，但是我知道我做不到。我所希望的是，你们能找到自己真正喜欢的事情，找到一个两心相印的爱人，生一两个孩子，平平

淡淡从从容容过好每一天。

我的孩子们，为自己真正喜爱的事情全心投入时的专注与成就感，足以给操持家务洗衣做饭这些琐碎日常生活带来的厌倦与枯燥增添一些光彩，足以让你不必过度依赖家庭生活，保留自己独有的一片小天地。找到一个知心爱人，组成两个人的小世界，便足以对抗世界上一切坚硬，在面对生活的严酷和困难时，不会感觉愁苦难当，不会陷入彻底绝望。孕育小生命的过程，会感觉到生命的奇迹，会获得前所未有的力量，当一双小手紧抓着你时，完全的被依赖与信任会让你感受到自我的强大，实现自我蜕变式的成长。

人生有诸多不易，当我们越来越老，身体也愈渐衰弱，我的孩子们，我希望你们回首往昔时，能够因自己真正地活过而感到心安，自然而然地度过余下的岁月，直到那个最终的终点。

# 我有一个梦想

马丁·路德·金

今天，我高兴地同大家一起，参加这次将成为我国历史上为了争取自由而举行的最伟大的示威集会。

100年前，一位伟大的美国人——今天我们就站在他象征性的身影下——签署了《解放宣言》。这项重要法令的颁布，对于千百万灼烤于非正义残焰中的黑奴，犹如带来希望之光的硕大灯塔，恰似结束漫漫长夜禁锢的欢畅黎明。

然而，100年后，黑人依然没有获得自由。100年后，黑人依然悲惨地蹒跚于种族隔离和种族歧视的枷锁之下。100年后，黑人依然生活在物质繁荣精神瀚海的贫困孤岛上。100年后，黑人依然在美国社会中间向隅而泣，依然感到自己在国土家园中流离漂泊。所以，我们今天来到这里，要把这骇人听闻的情况公诸于众。

从某种意义上说，我们来到国家的首都是为了兑现一张支票。我们共和国的缔造者在拟写宪法和《独立宣言》的辉煌篇章时，就签署了一张每一个美国人都能继承的期票。这张期票向所有人承诺——不论白人还是黑人——都享有不可让渡的生存权、自由权和追求幸福权。

然而，今天美国显然对她的有色公民拖欠着这张期票。美国没有承兑这笔神圣的债务，而是开始给黑人一张空头支票——一张盖着“资金不足”的印戳被退回的支票。但是，我们决不相信正义的银行会破产。我们决不相信这个国家巨大的机会宝库会资金不足。因此，我们来兑现这张支票。这张支票将给我们以宝贵的自由和正义的保障。

我们来到这块圣地还为了提醒美国：现在正是万分紧急的时刻。现在不是从容不迫悠然行事或服用渐进主义镇静剂的时候。现在是实现民主诺言的时候。现在是走出幽暗荒凉的种族隔离深谷，踏上种族平等的阳关大道的时候。现在是使我们国家走出种族不平等的流沙，踏上充满手足之情的磐石的时候。现在是使上帝所有孩子真正享有公正的时候。

忽视这一时刻的紧迫性，对于国家将会是致命的。自由平等的朗朗秋日不到来，黑人顺情合理哀怨的酷暑就不会过去。1963年不是一个结束，而是一个开端。

如果国家依然我行我素，那些希望黑人只需出出气就会心满意足的人将大失所望。在黑人得到公民权之前，美国既不会安宁，也不会平静。反抗的旋风将继续震撼我们国家的基石，直至光辉灿烂的正义之日来临。

但是，对于站在通向正义之宫艰险门槛上的人们，有一些话我必须要说。在我们争取合法地位的过程中，切不要错误行事导致犯罪。我们切不要吞饮仇恨辛酸的苦酒，来解除对于自由的饮渴。

我们应该永远得体地、纪律严明地进行斗争。我们不能容许我们富有创造性的抗议沦为暴力行动。我们应该不断升华到用灵魂力量对付肉体力量的崇高境界。席卷黑人社会的新的奇迹般的战斗精神，不应导致我们对所有白人的不信任——因为许多白人兄弟已经认识到：他们的命运同我们的命运紧密相连，他们的自由同我们的自由休戚相关。他们今天来到这里参加集会就是明证。

我们不能单独行动。当我们行动时，我们必须保证勇往直前。我们不能后退。有人问热心民权运动的人："你们什么时候会感到满意？"只要黑人依然是不堪形容的警察暴行恐怖的牺牲品，我们就决不会满意。只要我们在旅途劳顿后，却被公路旁汽车游客旅社和城市旅馆拒之门外，我们就决不会满意。只要黑人的基本活动范围只限于从狭小的黑人居住区到较大的黑人居住区，我们就决不会满意。只要我们的孩子被"仅供白人"的牌子剥夺个性，损毁尊严，我们就决不会满意。只要密西西比州的黑人不能参加选举，纽约州的黑人认为他们与选举毫不相干，我们就决不会满意。不，不，我们不会满意，直至公正似水奔流，正义如泉喷涌。

我并非没有注意到你们有些人历尽艰难困苦来到这里。你们有些人刚刚走出狭小的牢房。有些人来自因追求自由而遭受迫害风暴袭击和警察暴虐狂飙摧残的地区。你们饱经风霜，历尽苦难。继续努力吧，要相信：无辜受苦终得拯救。回到密西西比去吧；回到亚拉巴马去吧；回到南卡罗莱纳去吧；回到佐治亚去吧；回到路易斯安那去吧；回到我们北方城市中的贫民窟和黑人居住区去吧。要知道，这种情况能够而且将会改变。我们切不要在绝望的深渊里沉沦。

朋友们，今天我要对你们说，尽管眼下困难重重，但我依然怀有一个梦。这个梦深深植根于美国梦之中。

我梦想有一天，这个国家将会奋起，实现其立国信条的真谛：“我们认为这些真理不言而喻：人人生而平等。”

我梦想有一天，在佐治亚州的红色山岗上，昔日奴隶的儿子能够同昔日奴隶主的儿子同席而坐，亲如手足。

我梦想有一天，甚至连密西西比州——一个非正义和压迫的热浪逼人的荒漠之州，也会改造成为自由和公正的青青绿洲。

我梦想有一天，我的四个小女儿将生活在一个不是以皮肤的颜色，而是以品格的优劣作为评判标准的国家里。

我今天怀有一个梦。

我梦想有一天，亚拉巴马州会有所改变——尽管该州州长现在仍滔滔不绝地说什么要对联邦法令提出异议和拒绝执行——在那里，黑人儿童能够和白人儿童兄弟姐妹般地携手并行。

我今天怀有一个梦。

我梦想有一天，深谷弥合，高山夷平，歧路化坦途，曲径成通衢，上帝的光华再现，普天下生灵共谒。这是我们的希望。这是我将带回南方去的信念。有了这个信念，我们就能从绝望之山开采出希望之石。有了这个信念，我们就能把这个国家的嘈杂刺耳的争吵声，变为充满手足之情的悦耳交响曲。有了这个信念，我们就能一同工作，一同祈祷，一同斗争，一同入狱，一同维护自由，因为我们知道，我们终有一天会获得自由。

到了这一天，上帝的所有孩子都能以新的含义高唱这首歌：

我的祖国，可爱的自由之邦，我为您歌唱。这是我祖先终老的地方，这是早期移民自豪的地方，让自由之声，响彻每一座山岗。如果美国要成为伟大的国家，这一点必须实现。因此，让自由之声响彻新罕布什尔州的巍峨高峰！

让自由之声响彻纽约州的崇山峻岭！

让自由之声响彻宾夕法尼亚州的阿勒格尼高峰！

让自由之声响彻科罗拉多州冰雪皑皑的洛基山！

让自由之声响彻加利福尼亚州的婀娜群峰！

不，不仅如此；让自由之声响彻佐治亚州的石山！

让自由之声响彻田纳西州的望山！

让自由之声响彻密西西比州的一座座山峰，一个个土丘！

让自由之声响彻每一个山岗！

当我们让自由之声轰响，当我们让自由之声响彻每一个大村小庄，每一个州府城镇，我们就能加速这一天的到来。那时，上帝的所有孩子，黑人和白人，犹太教徒和非犹太教徒，耶稣教徒和天主教徒，将能携手同唱那首古老的黑人灵歌：“终于自由了！终于自由了！感谢全能的上帝，我们终于自由了！”

# 对自己的看法，决定自己的命运

亨利·戴维·梭罗

与自我认知相比，公众舆论这个暴戾的国王也显得软弱无能，无能为力，不堪一击。一个人对自己的看法，决定了他的命运，预示了他的归宿。如果想在西印度的州省中畅谈心灵与思想的自我解放，即便是威勃尔福司到了那里，又能改变什么呢？我们再想想，这片大陆上的女人们，她们成天编织着梳妆用的垫子，以备死亡那天使用，却对自己的命运从来没有过认真的思考，仿佛这么得过且过、日复一日地蹉跎光阴，丝毫无损于心中的那个永恒。

大多数的人，过着沉闷而绝望的生活。所谓听天由命，正是一种习以为常的无奈和绝望。从绝望的城市走到绝望的村庄，人们在水貂和麝鼠的勇敢精神中寻求安慰。甚至，在人类所谓的游戏与娱乐背后，都暗藏着一种惯性的、下意识的绝望。所以在娱乐和游戏中，也不再有乐趣。因为，真正的乐趣，在工作后才能感受到。然而，工作也是有选择的，不去做让人绝望的工作，就是智慧生活的一种体现。

当我们用教理上的问答方式，来思索什么是人生的真谛，什么是生活的真正需要，以及怎样的生命有意义时，看上去人们好像曾经历过谨慎的思考，才选择了这种共同的活法。因为比较起来，人们似乎更喜欢这种活法。事实上，他们自己也很清楚，他们别无选择，只能这么活。但是，清醒健康的人明白，太阳亘古常新，朝升暮落，放弃偏见，永远不会太迟。无论传统的思想与生活方式多么古老，但如果不经证明，其实都是不可轻信的。今天人们齐声附和或默认的真理，或许明天，就会变成一阵虚无缥缈的轻烟。然而正是这给人误会的轻烟，却被一些人认为是能滋养大地能给大地带来雨露的云朵。老人们说的你不可能办到的事情，你尝试了一下，然后你有可能发现你能做到。老人有他们旧的处事原则，新人有新的一套方法。古人不知继续添加燃料，便能使火焰不灭；今人知道，把一点干柴放在水壶下面，就可以像迅疾的飞鸟一样围绕着地球旋转。正如谚语说："气死老家伙。"老人虽然年纪大，但未必有足够的资格做年轻人的导师。因为他们从生活中收获得多，也损失不少。我们尽可以这样质疑：即使是智者，活了一世，他能领悟到多少生活的真理呢？事实上，老年人并不能给年轻人什么特别的忠告。他们的人生经验常常是支离破碎、零零散散的，他们经历了很多惨痛和失败，而这些失败都是他们自己造成的。也许，他们还保留一些信心，虽然这些信心与他们的经验背道而驰，只可惜，他们已经不再年轻了。我在地球上生活了将近30年，老实说，我还从没有从长辈那里聆听到一个对我有用的忠告，或者说真诚的建议。他们什么也没告诉我，或许他们也没有什么有价值的东西可以告诉我。这就是生活，很多都是我从未经历过的，需要我自己去体验和试验。老年人经历过，但对我来没有帮助。如果我得到了自以为有价值的经验，我心里总在想：这条经验，我的导师们可从来没有提起过呀！

有个农民对我说：“你只吃素食，这样是活不下去的，因为素食不能供给骨骼所需要的营养。”他每天都认真地抽出一些时间，来获取那为他的骨骼提供营养的肉食。他一边和我说着话，一边赶在耕牛后劳作，让这头靠植物生长了骨骼的耕牛，冲破障碍，拉着他和笨重的木犁，不断前进……一些东西，在某些场合确实是生活的必需品，例如对无助的病人；而在另一些场合，他就可能被看成是奢侈品；如果再换一个场合，又可能成为不为人知的东西。

# 二

# 真正的高贵
# 是优于过去的自己

不要匆匆忙忙地过一生，以至于忘记自己来自何方，去向何处。生命不是一场速度赛跑，而是一步一个脚印走过来的旅程。不要沉溺于昨天或明天而任凭今天悄悄流逝。活好每一个当下，你总会享受到所有的日子。

## 真正的高贵，是优于过去的自己

欧内斯特·米勒尔·海明威

风平浪静的大海上，
每个人都是领航员。
但是，只有阳光而无阴影，
只有欢乐而无痛苦，
那就不是人生。

以最幸福的人的生活为例—
它是一团纠缠在一起的麻线。

丧亲之痛和幸福祝愿彼此相接，
使我们一会儿伤心，一会儿高兴，
甚至死亡本身也会使生命更加可亲。

在人生的清醒时刻，

在哀痛和伤心的阴影之下，
人们真实的自我最接近。

在人生或者职业的各种事务中，
性格的作用比智力大得多，
头脑的作用不如心情，
天资不如由判断力所节制的
自制、耐心和规律。

我始终相信，
开始在内心生活得更严肃的人，
也会在外表上开始生活得更朴素。

在一个奢华浪费的年代，
我希望能向世界证明，
人类真正需要的东西是非常之微小的。

悔恨自己的错误，
而且力求不再重蹈覆辙，
这才是真正的悔悟，
优于别人，并不高贵，
真正的高贵应该是优于过去的自己。

# 自己觉得什么重要就去追求什么

布里安·戴森

生活就像在空中抛五个球的游戏。这五个球分别是：工作，家庭，健康，友谊，精神。将五个球同时在空中抛接的确是一门艺术。不久你会发现：除了工作是个橡皮球，掉在地上还会弹起来之外；其他四个球都是玻璃球，掉在地上便会留下疤痕，裂缝，或是摔得粉碎，总之不可能再恢复原样。所以我们要努力保持自己的平衡，才能把它们都玩得得心应手。

那么要怎样去做呢？

不要把自己与别人比较，这样会越看自己越不值钱。就像你的指纹一样，世界上每个人都是独一无二的。

选定自己追求的目标时不应以别人是否重视为标准，而是自己觉得什么东西重要就去努力追求什么。

不要以为最接近自己内心的东西与生俱来，可以像自来水一样随时想有就有。要如同保护自己的眼睛一样维护它们。失去它们，你就会变成只有心脏而没有心灵的行尸走肉。

不要匆匆忙忙地过一生，以至于忘记自己来自何方，去向何处。生命不是一场速度赛跑，而是一步一个脚印走过来的旅程。

不要沉溺于昨天或明天而任凭今天悄悄流逝。活好每一个当下，你总会享受到所有的日子。生命不是以数量而是以质量来计算的。

如果你还可以付出，就不该轻言放弃。除非终止努力，否则永无结束。

不要怕承认自己并不完美，让我们彼此相连的，不过是一条脆弱的丝线而已。

不要对自己说不可能找到爱情而就此永远关闭大门。最快的得爱之法是给予，最快失爱之法是像对待硬币一样紧紧捂住口袋，保持爱情最好的办法是给它插上自由的翅膀。

不要忘记：被人理解是人类最大的感情诉求。

不要怕去学新的东西。知识没有重量，而是可以随身携带的宝藏，没有人会被它压垮，而且越多越身形矫健。

昨天是历史，明天是谜语，而今天是礼物，所以在英语中我们把今天称之为Present。

# 我的身体虽不自由，我的心却是自由的

海伦·凯勒

“我觉得你所能接触的世界太小了，真可怜！”总有人如此这般地可怜我。可是只有我自己心里明白，这些人对我的生活知之甚少，我有多少朋友，看过多少书，旅行过多少地方——他们一概不知。每当我听到有人说我的生活圈太小时，我总忍不住暗自发笑。

那些不是盲文的书报，我就请别人念给我听。例如每天的早报，总是由老师或汤姆斯小姐先念标题，然后我挑那些感兴趣的部分请她细读。一般杂志也是一样，总是由老师或汤姆斯小姐念给我听，平均每个月我大概要读七八种杂志。此外，我还经常阅读盲文杂志，因为那上面多半会转载一些普通杂志上的好文章。

有些人亲自写盲文信函给我，另一些人则请会盲文的人代写，因此我常常可以享受到从指尖传来的友情。对我而言，我确实喜欢读盲文，因为毕竟可以亲自去感受，而且印象也更深刻。

有位名叫爱特那·波达的好友，他要去环游世界时设想得很周到，随身携带着盲文字板，每到一处就写信把他的所见所闻告诉我。因此，我就像跟着他周游世界似的，共同聆听大西洋上冰山迸裂的声响；同乘一机飞越英吉利海峡；携手漫步在巴黎如梦如幻的大道上；也到了水都威尼斯，在皓月当空的夜晚，一边欣赏月光下的威尼斯，一边静听船夫唱意大利情歌。那种气氛是多么浪漫啊！在看了维苏威火山与几千年前的罗马竞技场后，就要前往神秘的东方了。

我随着波达来到印度、中国，看到许多新鲜又好玩的东西。

抵达日本时正值樱花纷纷飘落的季节，纷纷扬扬的落花交织出一种奇妙之境，清幽肃穆的寺院钟声更引得我遐想联翩。

最妙的是，波达竟大惊小怪地对我说："快看！快看！日本的妇女都背着小孩在街上走，这儿的男人竟然都穿着四寸高的木屐，在马路上喀拉喀拉地溜达。"

有友如波达，所谓形体上的不自由其实等于没有了。

威廉·苏夫人是许多关切我的朋友中，最为热心、随时都准备帮助我的人之一。

苏夫人赞助过许许多多的慈善团体，只要是与我有关的团体，她捐的钱总是特别多。当我们的观点大相径庭时，她对我说："虽然观点各异，友情永远如一。"她依然不改初衷地爱护我。

佛兰克·克勃特是我大学时代的同窗好友，他在25年前创立了克勃特出版社，曾出版了我的传记作品《我的生活》一书。现在，我打算出续集，佛兰克仍如过去那样全力支持。其实早在10年前，佛兰克再三鼓励我写这本书的续集，而我在进行本书的写作时，则总是感到佛兰克似乎就在我的身边。

1912年的冬天，《青鸟》一书的作者梅多林克夫人到连杉来，她的态度温和，性格活泼，我们俩一见如故，非常投缘。她回到法国后还寄卡片给我，上面是她亲笔所书："为发现青鸟的少女祈求幸福。"

来连杉的名人还真不少，其中之一是诺贝尔文学奖得主——印度诗人泰戈尔先生，这位诗人长得非常高大，蓬松的头发呈灰色，几乎与脸上的络腮胡分不清楚，让我联想到《圣经》里记载的那些先知。我很喜欢《泰戈尔诗集》，看了不少他的作品，可以深深地感觉出他对人类的那份爱心。能与他相见，是我平生莫大的荣光。

当我向这位诗人倾诉我的尊崇与仰慕时，他说："我很高兴你能在我作品中看到我对人类的爱。你知道吗，这个世界正在等待的，就是出现一位爱神与世人更甚于爱自己的人哪！"

泰戈尔先生谈到时局时忧心忡忡，他以哀伤的口吻提到印度、中国以及世界上一些强国的局势："欧洲各国强迫中国人吸鸦片，如果他们拒绝的话，国土就有被瓜分的危险。在这种情况下，亚洲民族怎能不重整军备以求自保呢？英国就像一只秃鹰，已经把战火带到了太平洋沿岸，在那儿建立许多军事基地。亚洲各国中，日本已经能够自己立足了，可是，中国大概要等到城门被攻破，盗贼闯进家门时才会惊醒……请记住，一个太爱自己的人，往往就是自取灭亡的人，能解救世人的，大概只有神的爱了。"

他的话让我联想到了甘地，因为甘地先生正是一个不只是把"爱"宣之以口，更是践之以行的人。

艺术家们似乎对我特别厚爱，像艾连塔利和约瑟·杰佛逊等优秀演员还特地为我表演了他们的拿手戏，他们让我以手指去追踪他们的一言一行，一颦一笑，我兴奋得屏息以待，唯恐遗漏任何细节。歌唱家卡罗素、夏列亚宾等允许我把手放在他们的唇上去“听”他们的美妙歌声。

我曾手抚钢琴欣赏戈德斯基的演奏，轻触海飞兹的小提琴去领会那美妙琴音。当戈德斯基奏出肖邦的小夜曲时，我深深沉醉了，恍如置身于热带海岛上。

有时候，我把手放在收音机的的共鸣板上“听”音乐节目。在乐器中，我觉得竖琴、钢琴、小提琴的声音都非常美妙。不过，对于目前正开始流行的爵士音乐却不敢恭维，那种爆炸性的响声，令我感到好像有什么东西正朝着我冲过来似的，每当指尖传给我这种信息时，免不了有一种想转身逃跑的冲动，似乎人类在原始时代潜藏于体内的那种对大自然的恐惧感，再度复生了。

实业界的大亨，我曾拜访过电器发明大王汤姆斯·爱迪生先

生。在我前往新泽西州演讲时，爱迪生先生曾好意邀我去他家。他给人的第一个印象相当严肃。据他的夫人告诉我，爱迪生先生常把自己关在实验室内通宵工作，当他实验进行到一半时，最讨厌人家去打扰，甚至连吃饭都能免则免。

爱迪生先生要我把手放在唱机上，然后很热切地问我听懂没有，可惜我实在听不懂。为了不使爱迪生先生失望，我试着把当时头上戴着的草帽靠近唱机，使声音在草帽上更集中，但仍然无法了解。

一起进餐时，爱迪生先生对我说："你听不见任何声音也有好处，至少比较容易集中心思，不受外界的干扰，像这样活在自己的世界里，不是很好吗？"

我回答他："如果我是一位像你这样了不起的发明家，我希望能够发明一种使聋子得到听力的机器。"

他有点诧异地说："喔，你这么想？我可不做这种无聊的事，

反正人类说的话基本都是废话，可听可不听。”

我把嘴贴近爱迪生先生耳边，试图直接对他说出我的意思，可是他却说我的声音像水蒸气爆炸时一样，让他无法分辨，他说：“你还是告诉梅西夫人，然后由她转述，她的声音像小提琴般悦耳。”他的每句话都像发号施令。

至于汽车大王福特先生，是我在内布达斯加演讲后才见到的。

福特先生亲自带领我们到工厂里参观，并且以谦和的态度向我们讲述他成功的经历：“开始时，我的动机是要生产一种连农民都买得起的汽车，几经研究试验，我对汽车就越来越内行了……其实，有好想法的人非常多，只是大多数人不知道如何去活用，因此有也等于没有了。”

在参观完福特先生的汽车厂以后，我不禁有一个感想：如果把这个世界视为像福特工厂一般来管理，是否会更有效率呢？那时，是不是每个人都可以缩短工作时间，却拿到更高的报酬呢？

如果人们一天中只需工作几个小时，则衣食住行都不匮乏，还能有四五个小时的自由时间岂不是很好吗？不过，我自己也知道这种想法是痴人说梦，福特固然是一个杰出的企业家，但他的方法未必适合整个世界，因为国家毕竟不能视同工厂去管理啊！

在那次拜见福特先生10年之后，福特先生在一次盲人大会中捐了一大笔钱，他说他的工厂里雇用了73位盲人，他雇用他们的原因不是为了怜悯，而是因为他们在工作上表现得相当优异。听到这个消息的我，有一种莫名的欣喜。

当我感受自己的鼻子有些不舒服，心中出现一阵不安时，我就知道我该到纽约去放松一下了。纽约市内有各种不同的香味，可以刺激我的鼻子；我也喜欢到热闹嘈杂的地下铁路沿线逛

一下。像这样到纽约去一趟回来后，我又重新恢复了活力，因为我感觉到自己跟其他人一样的活着。

从繁华的城市重返宁静的田园，会感觉到自己的庭园分外可爱，虽然有人嫌它像老鼠窝，但对我而言，它是世界上最舒适的场所。

我常常独自从前门的阶梯下来，沿着小径前行，到尽头时一拐弯，就是我平常散步的马路了。小屋的四周有最宜人的景色，尤其每年的6月，郁金香与风信子全都绽放了笑脸，我们就像住在花海中的小岛上一样。在我走向小凉亭的马路两旁，满是移植自德国或日本的菖蒲花。6月真是个奇妙的月份，连树木都舒展了四肢，伸出的枝桠似乎想向我们倾吐什么。我有时会觉得，树木真的在对我说："你们人类什么时候才能学会这样站着不动呢？"有时则说："看啊，那海伦可真不安分，不停地穿梭在花丛草海中，像只风中的蝴蝶似的。"那横生的小枝桠，无异是对我指指点点的小手指。

我常常想："为什么人不能跟树木一样，在某一个地点上固定不动呢？树木虽然不会移动，不是照样生长得很好吗？甚至比人类活得更快乐更长久呢！

近来，我常为了劳资双方对立以及战争的问题而失眠，我奇怪人类为什么不把花在战争上的精力转而投注在研究如何改善人类生活、迈向理想境界的方向上去？这样的话，世界不是可以更美好吗？不过我相信，这一天早晚会到来的。

我盼望世界能早一天实现和平，让人类过得更幸福，到那时，人们就不必再期待身后的天堂了。

最近，我常独坐书房中沉思：“如果当初郝博士不曾设计出这套教育盲聋者的方法，那我的这一生将变成什么样呢？”

据说在郝博士想到要教育萝拉时，当时的法律上还明文规定着：盲聋者视同白痴。

莎莉文老师在柏金斯盲校时与萝拉同寝室，所以对她的事很清楚，而第一个教莎莉文老师手语的，就是萝拉。

当莎莉文老师告诉萝拉，她将前往亚拉巴马州去教一位又盲又哑又聋的女孩时，萝拉很高兴，同时嘱咐她：“不要让这个孩子养成太骄纵的个性，不能因为她有残缺就凡事顺着她，而让她变得太任性。”

临走时，盲校中的那些女孩们一起托莎莉文老师带给我一个洋娃娃，洋娃娃所穿的衣服就是萝拉亲手做的。我就是靠这个洋娃娃而学到“DOLL”这个字的。

我刚到柏金斯盲校时，莎莉文老师带我去见的第一个人就是萝拉。当时萝拉正在房中编织，因为和莎莉文老师很久不见了，因此她非常高兴地迎接我们，同时也吻了我。可是当她看我想伸手去摸她所编织的花边时，就很快地把花边移开，并且用手语对我说：“你的手太脏了！”

我又想用手去摸她的脸，她向后一闪，暗示我的手太脏。同时还问莎莉文老师：“你没有教这个孩子礼仪吗？”接着，她很慎重地一字一字对我说：“当你去拜访一位女士时，绝对不能太随便。”

我一连碰了几个钉子，心里当然很不高兴，因此就任性地一屁股坐在地板上，可是萝拉也不含糊，她立刻毫不客气地一把将

我拖起来。

“穿漂亮的礼服时绝对不能坐在地板上，会把衣服坐脏的。你这个孩子真是任性，一点教养都没有！”

我们要告别出来前，吻别她时不小心踩到了她的脚，免不了又被她训了一顿。事后萝拉告诉莎莉文老师：“这个孩子好像有点任性，但是脑筋倒是很灵活的。”而我对萝拉的第一印象是觉得她冷酷得犹如铜墙，令人无法亲近。

萝拉与我相似之处还是挺多的，因此，很多人拿我俩做比较。

我们是差不多的年纪变成盲聋，开始时的行动粗鲁，不易管教也很类似；此外，我们俩都是金发

碧眼，还都在7岁时开始接受教育。也就这些相似了吧，因为萝拉远比我更为努力上进。

这个暂且不说，萝拉确实是一个既聪明又善良的人，如果她当初也像我一样，有一位像莎莉文这样的老师来教导她，那么她肯定会取得比我大得多的成就。

一想到这点，我就为自己的幸运庆幸不已。可是当我再想到自己已经活到四十多岁，而且能和常人一样讲话，但对那些仍生活在黑暗荒漠中的人一点贡献也没有时，又忍不住惭愧不已。

应做之事数不胜数，虽然调查仍继续进行中，但就既有的资料显示，在国内，除去年纪很大或卧病在床的以外，那些又盲又聋在等待指引他们走出黑暗世

界的就有379人，其中15人目前正值学龄阶段，可是却没有学校能收容他们。

总有人问我："面对这些孩子，我该怎么办呢？"

由于儿童们智力、环境各异，因此我也不能很肯定地告诉他是该请家教，或是该送到哪一所学校去。我们能说的只是："在儿童的眼、耳机能未完全丧失前，要尽快送到附近的盲哑学校去，不然这样的儿童以后会抵触学习的。"

有件很多人好奇的事，我顺便说一下，那就是一个人虽然生活在黑暗或沉寂中，可是他仍像常人一样可以回忆、可以想象，过着属于自己的快乐生活。当然，他要尽量以他可能的方式去接触这个世界，不要把自己隔绝在这个世界之外。以我为例，因为我有许多朋友，他们又都热心地把他们耳闻目睹的经验传达给我，因此，我依然可以把生活过得丰富多彩。我会永远铭记这些朋友对我的帮助，他们给了我许许多多的勇气与快乐。

不回避地说，身体上的不自由终究是一种缺憾，这点我也很了解。我不敢说从来没有抱怨或沮丧过，但我更明白这样根本于事无补，因此我总是极力控制自己，不让自己对此自寻烦恼。

我时常自勉的一个目标是：我在有生之年，要拼命学会自立，尽最大的可能最大的力量不给别人添麻烦。换句宗教的说法就是：带笑背负起自己的十字架。这并不是对命运投降，而是直面命运，并力寻克制之法。

这种事说起来容易，但真要干的话，如果信仰不坚、毅力不强，再无友情的温暖、上帝的指引，恐怕真的做不到。

现在回忆我的过去，值得安慰的是，我至少可以做一只"只会模仿猫头鹰的鹦鹉”。所谓“只会模仿猫头鹰的鹦鹉”是什么意思？作家爱德华在完成《小洞的故事》这本书后，给某个朋友写信说：“我的祖父养了许多鹦鹉，它们却什么也不会，只会模仿猫头鹰鼓翅的样子。来访的客人们总是免不了要兴致勃勃地谈论鹦鹉们的精彩表演，并频频追问它们还会什么新奇花招。此时祖父就会一本正经地说：“快别这么说，否则我们的比利会不高兴的，是吗？比利，来，你来模仿猫头鹰给他们看吧！”我常常想起小时候的这段往事。现在我写了这本书，就像那只只会模仿猫头鹰的鹦鹉似的。

我也把自己比喻成比利，因此很认真地模仿猫头鹰。我的能力太有限，我所能做的仅此而已，就像那个小鹦鹉比利。

我在佛立斯特家中的书房写完自传的最后一行，由于手很酸，暂时停下来休息一下。

此处的院子里有落叶松、山茱萸，却没有洋槐，到底为什么没有，我也不知道。我的脑海中时常浮现出洋槐夹道的小径，因为就在那条小径上，我消磨过许多时光，同时享受着朋友们无限

的温情，那几乎可以说是我的人生小径。现在，这些朋友们有的还在人间的小径上走，有的则已徜徉于天国的花园里了，但我对他们的怀念之情是一样的。

认真说来，我过去曾看过的许多好书都是我的良师益友，它们代表着许多智者的智慧结晶，我同样对它们怀着敬畏与感恩之情。

我的自传算不上伟大的作品，非说它还有些什么价值的话，也不是因为我的才能，而应归功于发生在我身上那些非同寻常之事。也许神视我为它的子女而委以重任，希望由于我的盲聋而对其他人发生一点影响吧！

神使我眼不能见，耳不能听，因而也无法说话，是想通过这种残缺而给世上的残弱者一些启示。神待我不薄，因为它把莎莉文老师送给了我，由她带领我离开黑暗而沉寂的世界。

莎莉文老师自己的视力从小很差，当她担任我的家庭教师时，也只能看到些许光线而已。一个不太健康的弱女子只身远离她的朋友，来到阿拉巴马州的一个小村落，这种勇气不能不说是

受了冥冥中某种力量的支配。她为了我不辞任何辛劳，以她微弱的视力为我念了许多书，且成为我与这个世界最初也是最主要的桥梁。我与她非亲非故，她为我所做的一切，岂止是因为“喜欢我”一言以蔽之。

直到今天，老师仍然靠着一副度数非常深的特制眼镜来阅读，那副眼镜是贝连博士精心制造的。

由于我无法读自己的打字稿，有关事后的修改工作，都是由老师以手语为我复诵。当老师帮我做这些工作时，贝连博士又得伴在老师身边，观察她的视力，随时加以调整。

老师为了我，不惜付出一切，她为什么对我这么好呢？

我始终相信，只要莎莉文老师愿意，她可以轻易地成为妇女运动的领导人物，或者著名女作家，可是她却宁愿把一生的精力花在我的身上。她鼓舞了我服务社会人群的心志，遗憾的是，我一直没有良好的表现以报答老师的一片苦心。

最后，我要说，虽然我的眼前是一片黑暗，但因为老师带给我的爱心与希望，使我踏入了思想的光明世界。我的四周也许是一堵堵厚厚的墙，隔绝了我与外界沟通的道路，但在围墙内的世界却种满了美丽的花草树木，我仍然能够欣赏到大自然的神妙。我的住屋虽小，也没有窗户，但同样可以在夜晚欣赏满天闪烁的繁星。

我的身体虽然不自由，但我的心是自由的。且让我的心超脱我的躯体走向人群，沉浸在喜悦中，追求美好的人生吧！

# 别装，人们不吃这一套

朱自清

做作就是“佯”，就是“乔”，也就是“装”。苏北方言有“装佯”的话，“乔装”更是人人皆知。旧小说里女扮男装是乔装，那需要许多做作。难在装得像。只看坤角儿扮须生的，像的有几个？何况做戏还只在戏台上装，一到后台就可以照自己的样儿，而女扮男装却得成天儿到处那么看！侦探小说里的侦探也常在乔装，装得像也不易，可是自在得多。不过——难也罢，易也罢，人反正有时候得装。其实你细看，不但“有时候”，人简直就爱点儿装。“三分模样七分装”是说女人，男人也短不了装，不过不大在模样上罢了。装得像难，装得可爱更难；一番努力往往只落得个“矫揉造作”！所以“装”常常不是一个好名儿。

“一个做好，一个做歹”，小呢逼你出些码头钱，大呢就得让你去做那些不体面的尴尬事儿。这已成了老套子，随处可以看见。那做好的是装做好，那做歹的也装得格外歹些；一松一紧的拉住你，会弄得你啼笑皆非。这一套儿做作够受的。贫和富也可以装。贫寒人怕人小看他，家里尽管有一顿没一顿的，还得穿起好衣服在街上走，说话也满装着阔气，什么都不在乎似的。——所谓“苏空头”。其实“空头”也不止苏州有。——有钱人却又怕人家打他的主意，开口闭口说穷，他能特地去当点儿什么，拿当票给人家看。这都怪可怜见的。还有一些人，人面前老爱论诗文，谈学问，仿佛天生他一副雅骨头。装斯文其实不能算坏，只是未免“雅得这样俗”罢了。

有能耐的人，有权位的人有时不免“装模作样”，“装腔作势”。马上可以答应的，却得“考虑考虑”；直接可以答应的，却让你绕上几个大弯儿。论地位也只是“上不在天，下不在田”，而见客就不起身，只点点头儿，答话只喉咙里哼一两声儿。谁教你求他，他就是这么着！——“笑骂由他笑骂，好官儿什么的我自为之！”话说回来，拿身份，摆架子有时也并非全无道理。老爷太太在仆人面前打情骂俏，总不大像样，可不是得装着点儿？可是，得恰到分际，“过犹不及”。总之别忘了自己是谁！别尽拣高枝爬，一失脚会摔下来的。老想着些自己，谁都装着点儿，也就不觉得谁在装。所谓“装模做样”，“装腔作势”。却是特别在装别人的模样，别人的腔和势！为了抬举自己，装别人；装不像别人，又不成其为自己，也怪可怜见的。

“不痴不聋，不作阿姑阿翁”，有些事大概还是装聋作哑的好。倒不是怕担责任，更不是存着什么坏心眼儿。有些事是阿姑阿翁该问的，值得问的，自然得问；有些是无需他们问的，或值不得他们问的，若不痴不聋，事必躬亲，阿姑阿翁会做不成，至少也会不成其为阿姑阿翁。记得那儿说过美国一家大公司经理，面前八个电话，每天忙累不堪，另一家经理，室内没有电话，倒是从容不迫的。这后一位经理该是能够装聋作哑的人。“不闻不问”，有时候该是一句好话；“充耳不闻”，“闭目无睹”，也许可以作“无为而治”的一个注脚。其实无为多半也是装出来的。至于装作不知，那更是现代政治家外交家的惯技，报纸上随时看得见。——他们却还得钩心斗角地“做姿态”，大概不装不成其为政治家外交家罢？

装欢笑，装悲泣，装嗔，装恨，装惊慌，装镇静，都很难；固然难在像，有时还难在不像而不失自然。“小心赔笑”也许能得当局的青睐，但是旁观者在恶心。可是“强颜为欢”，有心人却领会那欢颜里的一丝苦味。假意虚情的哭泣，像旧小说里妓女向客人那样，尽管一把眼泪一把鼻涕的，也只能引起读者的微笑。——倒是那“忍泪佯低面”，教人老大不忍。佯嗔薄怒是女人的“作态”，作得恰好是爱娇，所以《乔醋》是一折好戏。爱极翻成恨，尽管“恨得人牙痒痒的”，可是还不失为爱到极处。“假意惊慌”似乎是旧小说的常语，事实上那“假意”往往露出马脚。镇静更不易，秦舞阳心上有气脸就铁青，怎么也装不成，荆轲的事，一半儿败在他的脸上。淝水之战谢安装得够镇静的，可是不觉得意忘形摔折了屐齿。所以一个人喜怒不形于色，真够一辈子半辈子装的。

《乔醋》是戏，其实凡装，凡做作，多少都带点儿戏味——有喜剧，有悲剧。孩子们爱说“假装”这个，“假装”那个，戏味儿最厚。他们认真“假装”，可是悲喜一场，到头儿无所为。成人也都认真地装，戏味儿却淡薄得多；戏是无所为的，至少扮戏中人的可以说是无所为，而人们的做作常常是有所为的。所以戏台上装得像的多，人世间装得像的少。戏台上装得像就有叫好儿的，人世间即使装得像，逗人爱也难。逗人爱的大概是比较的少有所为或只消极的有所为的。前面那些例子，值得我们吟味，而装痴装傻也许是值得重提的一个例子。

作阿姑阿翁得装几分痴，这装是消极的有所为；“金殿装疯”也有所为，就是积极的。历来才人名士和学者，往往带几分傻气。那傻气多少有点儿装，而从一方面看，那装似乎不大有所为，至多也只是消极的有所为。陶渊明的“我醉欲眠卿且去”说是率真，是自然；可是看魏晋人的行径，能说他不带着几分装？不过装得像，装得自然罢了。阮嗣宗大醉六十日，逃脱了和司马昭做亲家，可不也一半儿醉一半儿装？他正是“喜怒不形于色”的人，而有一向当时人多说他痴，他大概是颇能做作的罢？

装睡装醉都只是装糊涂。睡了自然不说话，醉了也多半不说话——就是说话，也尽可以装疯装傻的，给他个驴头不对马嘴。郑板桥最能懂得装糊涂，他那“难得糊涂”一个警句，真喝破了千古聪明人的秘密。还有善忘也往往是装傻，装糊涂；省麻烦最好自然是多忘记，而“忘怀”又正是一件雅事儿。到此为止，装傻，装糊涂似乎是能以逗人爱的；才人名士和学者之所以成为才人名士和学者，至少有几分就仗着他们那不大在乎的装劲儿能以逗人爱好。可是这些人也良莠不齐，魏晋名士颇有仗着装糊涂自私自利的。这就“在乎”了，有所为了，这就不再可爱了。在四川话里装糊涂称为“装疯迷窍”，北平话却带笑带骂的说“装蒜”，“装孙子”，可见民众是不大赏识这一套的——他们倒是下的稳着儿。

# 美好的品格本身即为一种幸福

亚瑟·叔本华

一般来说，人是什么比他自己有些什么及他人对他的评价是什么更能影响他的幸福。因为个性无时无刻伴随着人并且影响他的所有经验，因此人格——也就是人本身所具有的一些特质是我们需要首先考虑的问题。能从种种享乐中得到多少快乐是因人而异的。我们都知道在肉体享乐方面确实如此，精神享乐方面也是这样。

每当我们运用英语里的句子“好好享受自己”时，这话确实太好理解了，因为我们没有说“他享受巴黎”，反而说“他在巴黎享受‘自己’”。一个性格有了问题的人会把所有的快乐都当成不快乐，就像美酒倒入充满胆汁的嘴里一样也会变苦。所以，生命的幸福与困厄，不在于遇到的事情本身的苦和乐，而是要看我们怎样面对这些事情，看我们感受性的强度如何。

人是什么，他本身所包含的特质是什么，假如用一个词来形容，那就是人格。人格所具备的全部特质是人的幸福与快乐最直接、最根本的影响因素。其他的因素全是间接的、具有媒介性的，因此它们具有的影响力也会被消除破灭，但人格因素产生的影响却不能被消除。这就解释了为什么人的本来根深蒂固的嫉妒心性很难根除，况且，人们总是会谨慎小心地掩饰自己的嫉妒心性。

在所有我们所做、所遭受的经历当中，我们具备的意识素质常常占据着一个永恒不变的位置；所有其他方面的影响都有赖于机遇，机遇皆是过眼烟云，稍纵即逝且不停变动；独有个性在我们生命里的每时每刻都不停地工作着。因此亚里士多德说：“永恒不变的不是财富，而是人的个性。”

我们对全然来自外界的厄运倒还能忍受，但是因为自己个性所致的苦难却不能忍受；只因运道能够改变，个性却难以更变。人本身的福祉，例如聪明的头脑、健康完美的体魄、爽朗的精神、乐观的气质以及高贵的天性等，简单地说，即为幸福的第一要素；因此我们要全力以赴地去促进与保存这种让人生幸福的特质，不要孜孜于外界的功名利禄。

在这些内在的品格中，最能带给人直接快乐的只有“健全愉悦的精神”；因为美好的品格本身即为一种幸福。愉快又喜悦的人是幸福的，他之所以能做到这一点，就因为他的个性本身就是愉快又喜悦的。这类美好的个性能够弥补因为其他一切幸福的消失所带来的缺憾。

例如如果一个人因为年轻、英俊、富有而受到人们尊敬，你想知道他是否幸福只需看他是否欢愉，假如他是欢愉的，则背直背弯、年轻年老、有钱无钱，这和他的幸福又有什么关系呢？总之，他是幸福的。若干年以前我曾经在一本古书中看到这样两句话：“如果你一直笑，那么你就是个幸福的人；如果你一直哭泣，那么你就是不幸福的。”虽然是非常简单的几个字，甚至近乎于老生常谈，但就是因为它的简单才让我一直铭记在心。所以当欢愉的心情来叩动你的心门时，你就该无限地敞开你的心门，让愉快和你同在。这是因为它的到来总不会错。但人们却往往犹豫着担心由于自己过于快活而导致的乐极生悲和灾祸。

实际上，“愉快”本身即为一种直接的收获——虽然它不是银行里的支票，却是兑换幸福的现金；它能让我们得到当即的快乐，是我们可以拥有的最大幸事，因为从我们的存在对于当前这一方面来说，我们只是介于两个永恒之间那极为短暂的瞬间而已。所以，我们追寻的幸福的极致就是怎样保持与促进这种愉快的心情。

可以保持与促进心情愉快的并非财富，而是健康。我们不是总在下层阶级、劳动阶级，尤其是在野外工作的人们脸上看到愉快且满足的表情吗？而那些富有的上层阶级人士不是常常表现出满面愁容、满怀苦闷的神情吗？因此我们应竭力维护健康，也只有健康才能浇灌出愉悦的花朵。至于如何维护健康，实在不须由我指明——避免每个种类的任意放任自己和那些激烈又不愉快的情绪，也不要过于压抑自己的情绪，多做户外运动，洗冷水浴和讲求卫生等。没有适当的日常运动就不会永葆健康，生命过程就是依赖于体内每个器官的不停运转，运转的结果不仅影响到身体的各个部门，也会影响到全身。

亚里士多德曾说：“生命就是运动。”运动也的确是生命的本质。有机体的每个部门都在不停地急速运转着。比如说，心脏在一张一弛间有力且不停地跳动着，每跳28次它就把身体内全部血液由动脉运至静脉再分布到身体各处的微细血管里；肺就像一个蒸汽引擎那样永不停息地膨胀与收缩；内脏也一直蠕动工作着；各种腺体不断地汲取养分再分泌激素；甚至连大脑也伴着我们的呼吸和脉搏的跳动而运动。

世上注定要有无数人去从事办公室工作，他们常常无法运动，所以体内的骚动与体外的静止不能被调和，最终导致显著对比的产生。事实上，体内的运动是需要适当的体外运动来平衡的，否则就会出现情绪的困扰。大树的郁郁葱葱也要有风来吹动，人的体外运动与体内运动必须达到平衡就更不用说了。

幸福基于人的精神，而精神的好坏又往往和健康息息相关，这只要我们在相同的外界环境与事件，在健康健壮与缠绵病床时的看法以及感受有着什么样的不同中就能看出来，让我们觉得幸福与否的并不是客观事件，而是这些事件给我们带来的影响以及我们对此的看法。就像伊辟泰特斯所说的："人们往往并非受事物的影响，影响他们的是他们对事物的想法。"

一般而言，人的幸福多半归功于健康的身心。有了健康，做什么事都会让人快乐；反之则失去了快乐；即便有些人具有如伟大的心灵、乐观开朗的气质，往往也会因失去健康而黯然神伤，甚至出现质的改变。因此当两人见面时，我们总会问及对方的健康状况，相互祝愿身体安康，原来健康才是人类成就幸福最重要的因素。只有最愚蠢的人才会为了其他的幸福而不惜牺牲健康，不管这其他的幸福是功名利禄，还是学识以及转瞬即逝的感官享受，人世间没有任何事物会比健康更重要。

愉快的精神是获取幸福的要素，健康有利于精神的愉快，但要精神愉快只有身体健康还不行；因为一个身体健康的人也有会整天郁郁寡欢、愁眉苦脸。忧郁根植于更为内在的体质，这种体质是无法改变的，它系于一个人的敏感性以及他的体力与生命力的一般关系中，非正常的敏感性常常导致精神的不平衡，比如忧郁的人往往比较敏感，患有过度忧郁症的人会爆发周期性的不受控制的快活，天才常常是那些精神力即敏感性很充足的人；亚里士多德观察到了这个特点，因此他说："一切在政治、哲学、诗歌以及艺术上有显著贡献的人都具有忧郁的气质。"毋庸置疑，西塞罗也有这样的看法。

# 我们生活得真实，
# 我们眼中显现得便只有真实

拉尔夫·瓦尔多·爱默生

我算是看到了，现在的人越来越胆小怕事，整天一副内疚的样子，好像他犯下了什么滔天大罪似的。刚强的气质已经弃他而去了，他再也不敢说“我认为”、“我就是”这些掷地有声的语言了，而只会引经据典，用自己的嘴巴去说别人的语言，而且，去说那些死人的语言。面对着一片草叶或一朵盛开的玫瑰花，他也气馁万分，无地自容。可是，我窗前的玫瑰花却从来不理会从前的玫瑰花，或者那些比它们更美丽的玫瑰花，它们只关心自己的现状。它们一定在心中默默地说：“今天，我们与上帝同在！”对它们来说，没有什么时间，也没有什么空间，有的只是玫瑰。只要存在着，每时每刻，它都是尽善尽美的。在花蕾还没有绽开的时候，它的整个生命就已经兴奋不已了。在盛开的花朵里不见其多；在无叶的根茎中也未见其少。它的天性得到了满足，它也满足了大自然，时时刻刻都是一样。

然而，人却总是生活在延宕之中，他牢固地把持着记忆，不肯放松哪怕是很短的一会儿工夫，所以，他不是生活在现在，而是眼睛向后，在为过去而伤怀不已；要不，他就对周围的财富置之不理，却使劲地踮起脚尖，对未来的日子趋之若鹜。我们必须警告他们，如果他们不跟大自然一起超越时间，从现在开始生活，那么，他永远也不会快乐，也永远不会坚强。

毋庸讳言，这一点应该是一目了然。然而，看看那些坚强的智者，他们竟然不敢听上帝本人的话，除非他说的是我所不了解的大卫、耶利米或保罗的语句。我们总不能永远对着几篇经文、几篇传记过日子吧？我们就像一些小孩子，只会死记硬背那些老奶奶和家庭教师的语句，等长大以后，又只会死记硬背那些我们偶然看到的有才气、有个性的人们的语句——中规中矩，不辞辛苦，就是为了回忆起人家说过的原话；后来，等我们具备了曾经说过这些话的人们的能力时，我们才算真正地理解了那些人，才愿意把那些话丢开，因为，时机一到，我们随时随地都可以把话说得一样得体且才华横溢。

如果我们生活得真实，那么在我们眼中显现的也只有真实，那就像强者永远坚强，而弱者只能软弱一样。当我们获得了崭新的知觉时，我们将很乐意把储藏在记忆中的财宝一股脑儿丢掉，就像我们扔掉那些无用的垃圾一样。当一个人与上帝生活在一起时，他的声音就像潺潺的溪水和沙沙的谷田一样甜美。

现在，已经到了关键时刻，可是，关于这一命题的最高真理仍然没有被谈到，而且，我想，大概我们也无法谈论它，因为，我们所谈论的一切，只不过是对直觉的遥远记忆。现在，我通过最事半功倍的手段而表达的思想就是下面的情况：当善接近你的时候，当生命光临你的时候，那绝对是无法通过司空见惯的渠道所能到达的，你是无法发现它的足迹的，你是无法看到它的面孔的，你是无法听到它的名字的……因为，那种渠道，那种善，那种思想，必定像刚刚诞生的婴孩一样新鲜，因而，它必定把实例和经验统统排除在外，因而，你没有任何的成规旧例可供参考。

没错，你脚下的路是从别人那里来的，可是，它并没有要你到别人那里去啊！一切曾经生活过了的人们，都是它的代理者，都是它被遗忘了的代理者。无论是恐惧，还是希望，同样都生活在它的光影之下。而且，即使在希望之中，也有某种低下的东西。当我们胡思乱想的时候，并没有什么所谓的感激之类的东西产生，而且，严格地说，也没有什么可以称之为欢乐的东西从中产生。

凌驾于激情之上的灵魂，具有万能的眼睛，他看见了同一性和永恒的因果关系，发现了真理和正义的自我存在，因为知道万事如意，便泰然自若。大自然无垠的空间，大西洋，南太平洋——漫长的时间间隔，一年又一年，一个世纪又一个世纪——这一切，都无关紧要。在过去，这种我所想到和感到的东西，构成了每一种原先的生活与环境状况的基础，就像现在，它又构成了我现在的基础，构成了所谓的生和死的基础一样。

# 希望别人来了解你的心事是多么愚蠢

罗曼·罗兰

你一定有过这种感受，当你心事重重，渴望找个人聊聊天的时候，这个人真的出现了，而你们却没什么可聊的。当然，聊还是聊了，可是他说他的，你——开始你也试着说说你的，但是最后，你放弃了。

于是，你们的聊天成了两条七扭八歪的曲线，就那么凄凉地、乏力地延伸下去。

你敷衍着，笑着，装作聊得很投机的样子。但是，内心却盼着他早点走，好让你静下来，静下来啃噬那属于你自己的寂寞。

“还不如自己闷着好呢。”你最终得此结论。

“期望别人帮你分忧该有多傻！别人不会了解你的，每个人关心的只是自己。”

然后，你顿悟了——有些事不可与人说，有些事不必与人说，有些事无法与人说，而且有些事是，即使告诉了别人，你也会马上后悔的。

所以，如果你够聪明，那么，最好的办法就是静下来，啃噬自己的寂寞——或者反过来说，让寂寞吞噬你。

于是，你慢慢可以感觉到，午后的阳光应怎样拖着黯淡的步子西斜，屋角的浮尘怎样在冥茫漫无目的地游动，檐前的蜘蛛怎样结那囚禁自己的网，暮色又怎样默默地爬上你的书桌，而那种寂寞的感觉又是怎样越来越沉重地在你心上压下，压下……直到你呼吸困难，心跳迟滞，像一辆超重的车，在上坡时气力不断地渐渐地变慢，渐渐地停下……

于是，你觉得自己涨得无限的大，大得填满了整个宇宙的空间，而这无限大的你的里面，所涨满的，只是寂寞，寂寞。无边的寂寞！……

没有一声呼喊，没有一滴眼泪，没有一丝感情，没有一线希望，没有一点欲求；没有动，没有静，只有一种向下坠落的感觉，坠落……坠落……向着那无底的幽暗之中坠落。

于是，夜色密密地涂满了宇宙，在上下前后左右都是墨一般的幽暗里，你不再知道自己是否仍在继续坠落，你只知道——

那沉重的，无边的，墨染的，死一般的寂寞！

# 你不必完美

哈罗德·斯·库辛

理所当然地，我们应该为尽善尽美尽力而为，但是要求完美，是强人所难。我们面对着复杂多变的情况，没有人能够不出纰漏。

很多次，当我不得不对我的孩子们说我在某件事上做错了时，我都害怕他们不再爱戴我。但我非常惊奇地发现，他们因为我愿意自承过错而更爱我。相比之下，他们更爱我的诚实和正直。

可是，有时人们并不能正确对待自己的过错。可能我们的父母期望我们完美无瑕；也可能我们的朋友常念叨我们的缺点，因为他们希

望我们能够改正。而他们难以原谅的是，因为我们的过错总在他们最脆弱的时候触痛了他们的心。

我们为此有愧于心。但是把错误揽到自己身上之前，我们必须问问自己，那真是我们应该背负的包袱吗？

我是从一个童话中得到启示的。一个被劈去了一小片的圆想要找回一个完整的自己，到处寻找自己的碎片，由于它是不完整的，滚动得非常慢，从而领略了沿途美丽的鲜花，它和虫子们聊天，它充分地感受到阳光的温暖。它找到许多不同的碎片，但它们都不是它原来的那一块，于是它坚持着寻找……直到有一天，它实现了自己的愿望。然而，作为一个完美无缺的圆，它滚动得太快了，错过了花开的时节，忽略了虫子。当它意识到这一切时，它毅然舍弃了历尽千辛万苦才找到的碎片。

这个故事的启示是：让我们得以完整的，可能正是因为失去。一个完美的人，从某种意义上说，挺可怜的，他永远无法体会爱他的人带给他的某些一直求之不得的东西的喜悦。

一个有勇气放弃他无法实现的梦想的人是完整的；一个能坚强地面对失去亲人的悲痛的人是完整的——因为他们经历了最坏的遭遇，却成功地抵御了这种冲击。

生命不是上帝用于捕捉你的错误的陷阱，你不会因为一个错误而成为不合格的人。生命是一场球赛，最好的球队也有失分之时，最差的球队也有辉煌一刻。我们的目标是尽可能让自己所得大于所失。

当我们接受人的不完美时，当我们能为生命的继续运转而心存感激时，我们就能成就完整，而别的人却渴求完整——当他们为完美而困惑的时候。

如果我们能勇敢去爱、去原谅，为别人的幸福慷慨地表达我们的欣慰，理智地珍惜环绕自己的爱，那么，我们就能得到别的生命不曾获得的圆满。

# 假如生活欺骗了你

亚历山大・谢尔盖耶维奇・普希金

假如生活欺骗了你，
不要悲伤，不要心急！
忧郁的日子里需要镇静：
相信吧，快乐的日子将会来临。
心儿永远向往着未来；
现在却常是忧郁。
一切都是瞬息，
一切都将会过去；
而那过去了的，
就会成为亲切的怀恋。

# 最快乐的人是有着最有趣的思想的人

威廉·菲尔普斯

快乐绝不仅仅是运气，而是取决于很多因素。一个人应该像运动员准备比赛一样来为快乐做好准备。勤奋锻炼，减少受伤机会，竞赛成绩自然会好。人只有两个去向：变老或死亡，所以成功地变老非常重要。况且我发现尽管悲观者宣称人生没有意义，但他们中的绝大多数还是会耗到生命的最后一秒钟。看到这么多男人和女人都很怕变老，我觉得很可悲。他们被恐惧束缚住了。很多人在看到他们头上的第一根白发时都吓呆了。人头发变白其实没有必要害怕。如果头发变绿或变蓝，那倒是应该去医院看看，而头发变白只不过是因为头皮里白色素太多，不冒出来不行。别为你的白发羞耻，你应该为它感到自豪，就像为你的国旗而自豪一样。看看这个世界上成千上万的人都在经历着的不幸，你应该感到很幸运你能活到长出白发的时候。

有的傻瓜会说，“我是希望我老了还能像年轻时一样漂亮迷人。”这不可能。我们得承认老人不漂亮迷人。漂亮只属于青年，

而且是青年最重要的魅力。诗人勃朗宁认为青年漂亮迷人是因为他们如果没了这个就会让人难以容忍。年轻人是这个世界的装饰品，这就是我们喜欢他们的原因。他们身体苗条，行动敏捷，美丽动人，因为他们如果不是这样的话就没有人能容忍他们的存在了。如果小伙子和姑娘们，除了无知以外，还白发苍苍，谢顶肥胖，满脸皱纹，再加上个双下巴颏，那真是太恐怖了。但是造物主的安排是让年轻人外表迷人，而给他们时间来增长智慧和见识。然后他们就可以用自己的聪明才智来生存，同时丢掉迷人的外表。小孩子坐在你腿上，伸手来拿你的手表，你会说，“好孩子，这个不能拿呀！”但如果有个三十岁的人伸手来拿你的手表，你会送他进监狱。我们长大时别人对我们的期望值会更高，所以没有人比一个已届成年而心智还像孩子的女人更可悲的了。这个文明社会里没有她的位置。

就算有人能到老还能漂亮迷人，这充其量也就算是一种退却、一种投降，而不应该为决战到底的生命斗士所接受。与其勉强维持着外貌而变老，我们能不能充满期盼地变老，胜利地变老呢？完全有可能。约瑟·丘特决不是个盲目乐观主义者，而是个极其老练世故的人。可是他七十多岁时有一次在纽约的一次公开演讲中宣称，人生最快乐的阶段是七十到八十岁：“我建议你们加快步伐，赶紧加入这个行列。”

让我们再来看看另外一个流行的观点：我们年纪大了之后就失去了所有的幻想。这话倒是一点不假。我觉得我现在就没有任何幻想。即使有，我会很高兴今天就把它扔掉。你丢掉一个不切实际的幻想会怎么样呢？

每次你丢掉一个幻想，你就会有一个新见解。见解与思想比幻想更有趣，所以会更让你欣喜。实实在在的世界、男人和女人比那些由无知和愚妄描绘出的图景更值得让你了解。有人告诉我们青年之所以最快乐是因为他们戴着玫瑰色的眼镜看世界。但我没有任何想戴玫瑰色眼镜的欲望，并且我还可以证明你也不需要。让我们来看看我们在政治经济学中的老熟人：供需法则。需求决定价格。大家都想要的东西肯定比没人想要的东西贵。假如你今年夏天去欧洲，到那里的商店里去买一副高倍望远镜。结果售货员建议说与其买望远镜，你不如买一个万花筒，你用它可以看到非常鲜艳美丽的图案。你一定会说，“你当我是孩子了？我对这些五颜六色不感兴趣！”“我知道，但是距离才产生美感。你看到五英里以外的一条船时，它漂亮得就像只天鹅一样。但如果你用高倍望远镜来看，你会看到破洞、补丁、甲板上晾着的衣服，以及别的很多不够赏心悦目的东西。你肯定不想知道这么多真相。”你绝对不会同意这个说法，明证是你随处都可以买到廉价的玫瑰色眼镜，但望远镜的价格会随着放大倍数而直线上升。如果我们为了看到真相而不是幻觉肯花大钱，我们就必须抛弃幻觉带来快乐的说法。随着我们年纪的增长，玫瑰色逐渐褪去，我们才越来越清楚地看到了人生的真相，因此也就觉得它更有趣。

还有人认为人变老时就失去了热情。这个说法对有头脑的人完全不适用，并且有一个严重的错误：它把没有热情和没有激发起热情的事混淆起来了。让孩子激动的事常常提不起成年人的兴趣，这并不能说明成人不会激动，而只能说明他们不会被孩子气的东西激动。我小时候最快活的日子是七月四号独立日，因为那天妈妈允许我半夜就起来，到街上大喊大叫，直到天亮。想想看，每天晚上一到了八点就被强制上床睡觉的我，早上三点就可以起来到大街上扯着嗓子大叫！那真不是一般的欢喜。假如现在你跟我说今天晚上我可以半夜就起来大喊大叫直到天亮，我谢绝。这说明我没有快乐和热情了吗？当然不是，这只说明我不想半夜三更爬起来。在那快活的独立日，天亮以后我会放一整天的鞭炮，决不疲倦。那时常常会有一个很老的人——他可能有三十二岁左右——走过来，我就请他一起跟我来分享放鞭炮的快乐，而他总是婉言谢绝。“可怜的人！”我想，“他这辈子算是完了。他再没有快乐了。”我那时真是很难想象三十岁以上的人会有任何开心的事，他们只不过是每天都活在一个一成不变的套路里而已。

三岁的女孩得到一个洋娃娃礼物会很开心，而如果她长到十七岁时有人送她一个洋娃娃，她会觉得受了侮辱。这并不说明十七岁的女孩没有了快乐和热情，而是说明她的热情原来是在洋娃娃身上，而现在则是转到了别的事情身上。

如果最快乐的人是有最有趣的思想的人，那我们的快乐会与日俱增，因为我们会有越来越多有趣的思想。理想的人生就像爬一座高楼：爬到一半时看到的风景要比在底层时好。上得越高，视野越宽，风景也就越美。教育的真正价值也就体现在这。高等教育不见得会使人变得更有效率，但是可以丰富人的性格，增加人的精神财富，从而使人快乐。这是为年老体衰以至于动物原始欢愉的丧失而设置的最好的保险。不管我们有多少亲人和朋友，在某种意义上说我们每个人都注定是要过一个孤独的生活，因为我们在这世上存在的每一天都是跟我们自己在一起。因此我们绝对有必要给自己增加点智慧和美的品味，从而在我们思想空间的四壁都可以挂上引人入胜的画幅。做一个有趣的人比做一台高效率的机器要强得多。很多人被杯中物毁了他们自己，因为他们不能忍受跟自己相处。每当他们不得不与他们空无一物的思想独处，他们就必须用刺激物来让他们忘掉那已经荒芜的内心世界。还有很多人则是冲向电影院，或者是找点别的什么能让他们忘掉自己的事。

高等教育，或者说心灵的滋养，对女人比对男人更加重要，因为女人独处的时间更多。男人一辈子一多半的时间都是像狗一样跑来跑去。女人则不然，即使是在妇女解放的今天。让我们来看一个女孩的例子，她在一个快乐大家庭中长大，有很多朋友和邻居。她每天都在各种愉快的游戏和活动中轻松度过。后来她嫁到了新泽西，她丈夫每天早上乘7：37的火车去纽约上班，晚上6：48才回家。这位少妇从一个幸福之家一下被抛到一个陌生的城市，每天独守空屋。如果她没有任何精神寄托，没有任何有趣的思想，天知道她该怎么办。

我无意低估舒适生活和年轻迷人的好处，但如果悠闲自得和无忧无虑就等于快乐，那最快乐的一位将既不是一个男人也不

是一个女人，而是一头美国母牛。牛在欧洲还得拉车，而在美国牛和狗是真正闲适的淑女和绅士。看看一头典型的美国母牛的一天，我们就会发现她与一般人眼中的理想生活已经相差不远了。她早上起来，尾巴一翘，一天的厕所问题就解决了。这比起人类来真是有无比的优越。女人一天平均得要花上四十五分钟来穿衣化妆。哈丽特·马蒂诺小时候在听到她这一辈子每一天都得刷牙时被惊呆了。她后来活到了九十岁。母牛不用刷牙，也不用剪发，不必去买得体的高档时装，也不必随处都得拎着化妆盒。尾巴一翘，她的一天就可以开始了，而她的早饭已经在等着她了。她既不用亲自下厨生火，也不必因为厨子不辞而别而恼怒。草是她的主食，其上的露水是她的饮料。进餐大约一个小时后，她会若有所思地凝视着远方，想想那边的草地是否长得更旺更绿，是否值得劳驾走一趟。

她会花上三个小时来琢磨这件事。中午，她散步到小溪边，下到齐腰深的溪水里，饮水沐浴。然后她庄严地走到树荫里坐下，开始反刍。她的上颚静止，而下颚则有节奏地转动，表情安详平静。牛反刍时的表情与美国女孩嚼口香糖极为相似。每次我见到其中一个情景就决不会不想到另外一个。牛的眼睛大而有神，脉脉含情，无忧无虑。她们决不会因为内省或烦恼而不安。她们之间没有不可知论者、原教旨主义者和现代派的争论。她们不会在晚上辗转反侧，不能成眠，想象她的儿子是不是在某个遥远的城市投奔了魔鬼的怀抱。给人类带来痛苦和折磨的诸多思绪，在她们那里都不存在。我见过很多的牛，而在她们的大眼睛里从来没有见过任何的困惑。她们平静的面部表情从不流露出警惕或惊慌。她们甚至从来不感到厌倦。她们已经成功地超脱了叔本华的“人只能在失望与无聊之间做出两难选择”的著名论断。

既然美国母牛的一日已经展现出大众所期望的理想生活：舒舒服服、没有痛苦、没有忧愁，我们谁不想变成一头牛呢？可是大概很少人会愿意把自己变成牛。这只能说明一件事，尽管人生有悲伤、有困惑、要操很多的心，但还是比牛的平静生活更有趣、更值得过。多一分有趣，就多一分快乐，而最快乐的人是有着最有趣的思想的人。

三

# 每个人都是自己命运的设计师

毋庸置疑，外在的偶然因素会影响人的命运，如相貌、时机、别人的死亡和施展才能的机会等，但人的命运最终还是掌控在自己的手中。所以，有个诗人说：“每一个人都是他命运的设计师”。

# 凡是勤奋者，必出人头地

梁实秋

勤，劳也。无论劳心劳力，竭尽所能黾勉从事，就叫作勤。各行各业，凡是勤奋不怠者必定有所成就，出人头地。即使是出家的和尚，息迹岩穴，徜徉于山水之间，勘破红尘，与世无争，他们也自有一番精进的功夫要做，于读经礼拜之外还要勤行善法不自放逸。且举两个实例：

一个是唐朝开元间的百丈怀海禅师，亲近马祖时得传心印，精勤不休。他制定了“百丈清规”，他自己笃实奉行，“一日不作，一日不食”，一面修行，一面劳作。“出坡”的时候，他躬先领导以为表率。他到了暮年仍然照常操作，弟子们于心不忍，偷偷地把他的农作工具藏匿起来。禅师找不到工具，那一天没有工作，但是那一天他也就真个的没有吃东西。他的刻苦精神感动了不少的人。

另一个是清初的以山水画著名的石谿和尚。请看他自题《溪山无尽图》：“大几天地生人，宜清勤自持，不可懒惰。若当得个懒字，便是懒汉，终无用处。……残衲住牛首山房，朝夕焚诵，稍余一刻，必登山选胜，一有所得，随笔作山水数幅或字一段，总之不放闲过。所谓静生动，动必做一番事业。端教一个人立于天地间无愧。若忽忽不知，懒而不觉，何异草木？”人而不勤，无异草木，这句话沉痛极了。过饱食终日无所用心的生活，英文叫作vegetate，意为植物的生活。中外的想法不谋而合。

勤的反面是懒。早晨躺在床上睡懒觉，起得床来仍是懒洋洋地不事整洁，能拖到明天做的事今天不做，能推给别人做的事自己不做，不懂的事情不想懂，不会做的事不想学，无意把事情做得更好，无意把成果扩展得更多，耽好逸乐，四体不勤，念念不忘的是如何过周末如何度假期。这就是一标准懒汉的写照。

恶劳好逸，人之常情。就因为这是人之常情，人才需要鞭策自己。勤能补拙，勤能损欲，这还是消极的说法，勤的积极意义是要人进德修业，不但不同于草木，也有异于禽兽，成为名副其实的万物之灵。

# 人类是唯一在工作的动物

林语堂

人生的盛宴已经摆在我们的面前，现在唯一的问题是我们的胃口怎样。问题是胃口而不是盛宴。关于人，最难了解的事情终究是他对工作的观念，及他指定给自己做的工作或社会指定给他做的工作。世间的万物都在悠闲中过日子，只有人类为生活而工作着。他工作着，因为他必须工作，因为在文化日益进步的时候，生活也变得更加复杂，到处是义务、责任、恐惧、阻碍和野心，这些东西不是由大自然产生出来的，而是由人类社会产生出来的。当我在这里坐在我的书台边时，一只鸽子在我窗外绕着一座礼拜堂的尖塔飞翔着，毫不忧虑午餐吃什么东西。我知道我的午餐比那鸽子的午餐复杂得多，我也知道我所要吃的几样东西，乃是成千累万的人们工作的结果，需要一个极复杂的种植、贸易、运输、递送和烹饪的制度，为了这个原因，人类要获得食物是比动物更困难的。虽然如此，如果一只莽丛中的野兽跑到都市来，知道人类生活的匆忙是为了什么目的，那么，它对这个人类社会一定会发生很大的疑惑。

那莽丛中的野兽的第一个思想一定是：人类是唯一在工作的动物。除了几只驮马和磨坊里的水牛之外，连家畜也不必工作。警犬不大有执行职务的机会；以守屋为职责的家犬多数的时候是在玩耍的，早晨阳光温暖的时候总要舒舒服服地睡一下；那贵族化的猫儿的确不会为生活而工作，天赋给它一个矫捷的身体，使它可以随时跳过邻居的篱笆，它甚至于不感觉到它是被俘囚的——它要到什么地方去就去。所以，世间只有这个劳苦工作着的人类，驯服地关在笼子里，可是没有食物的供养，被这个文化及复杂的社会强迫着去工作，去为自己的供养问题而烦虑着。我知道人类也有其长处——知识的愉快，谈话的欢乐和幻想的喜悦，例如，在看一出舞台戏的时候。可是我们不能忘掉一个根本的事实，就是：人类的生活弄得太复杂了，光是直接或间接供养自己的问题，已经需要我们人类十分之九以上的活动了。文化大抵是寻找食物的问题，而进步是一种使食物越来越难得到的发展。如果文化不使人类那么难于获得食物，人类绝对没有工作得那么劳苦的必要。我们的危机是在过分文明，是在获取食物的工作太苦，因而在获取食物的过程中，失掉吃东西的胃口——我们现在的确已经达到这个境地了。由莽丛中的野兽或哲学家的眼光看起来，这似乎是没有什么意义的。

我每次看见都市的摩天楼或一望相连的屋顶时，总觉得心惊胆战。这真是令人惊奇的景象。两三座水塔，两三个钉广告牌的铜架，一两座尖塔，一望相连的沥青的屋顶材料和砖头，形成一些四方形的、矗立的、垂直的轮廓，完全没有什么组织或次序，点缀着一些泥土，褪色的烟囱，以及几条晒着衣服的绳索和交叉着的无线电天线。我俯视街道，又看见一列灰色或褪色的红砖的墙壁，墙壁上有成列的、千篇一律的、阴暗的小窗，窗门一半开着，一半给阴影掩蔽着，窗槛上也许有一瓶牛乳，其他的窗槛上有几盆细小的病态的花儿。每天早上，有一个女孩子带着她的狗儿跑到屋顶来，坐在屋顶的楼梯上晒太阳。当我再仰首眺望时，我看见一列一列的屋顶，联结几英里远，形成一些难看的四方形的轮廓，一直伸展到远方去。又是一些水塔，又是一些砖屋。人类便居住在这里。他们怎样居住呢？每一家就住在这么一两个阴暗的窗户的后边吗？他们做什么事情过活呢？说来真是令人咋舌。在两三个窗户的后边就有一对夫妻，每天晚上像鸽子那样地回到他们的鸽笼里去睡觉；接着他们在早晨清醒了，喝过咖啡，丈夫到街上去，到某地方为家人寻找面包，妻子在家里不断地、拼命地要把尘埃扫出去，使那小地方干净。到下午四五点钟时她们跑到门边，和邻居相见，大家谈谈天，吸吸新鲜空气，到了晚上，他们带着疲乏的身体再上床去睡。他们就这样生活下去啦！

还有其他比较小康的人家，住在较好的公寓里。他们有着更“美术化”的房间和灯罩。房间更井然有序，更干净！房中比较有一点空处，但也仅是一点点而已。租了一个七个房间的公寓已算是奢侈的事情，更不必说自己拥有一个七个房间的公寓了！可是这也不一定使人有更大的快乐。较没有经济上的烦虑，债务也较少，那是真的。可是同时却较多情感上的纠纷，较多离婚的事件，较多不忠的丈夫晚上不回家，或夫妻俩晚上一同到外边去游乐放荡。他们所需要的是娱乐。天啊，他们须离开这些单调的、千篇一律的砖头墙壁和发光的木头地板去找娱乐！他们当然会跑去看裸体女人啦。因此患神经衰弱症的人更多，吃阿司匹灵药饼的人更多，患贵族病的人更多，患结肠炎、盲肠炎和消化不良症的人更多，患脑部软化和肝脏变硬的人更多，患十二指肠烂溃症和肠部撕裂症的人更多，胃部工作过度和肾脏负担过重的人更多，患膀胱发炎和脾脏损坏症的人更多，患心脏胀大和神经错乱的人更多，患胸部平坦和血压过高的人更多，患糖尿病、肾脏炎、脚气症、风湿痹、失眠症、动脉硬化症、痔疾、瘘管、慢性痢疾、慢性大便秘结、胃口不佳和生之厌倦的人更多。这样还不够，还得使狗儿多些，孩子少些。快乐的问题完全看那些住在高雅的公寓里的男女的性质和脾气如何而定。有些人的确有着欢乐的生活，但其他的人却没有。可是在大体上说来，他们也许比那些工作劳苦的人更不快乐；他们感到更大的无聊和厌倦。然而他们有一部汽车，或许也有一座乡间住宅。啊，乡间住宅，这是他们的救星，这么一来，人们在乡间劳苦工作，希望到都市去，在都市赚到足量的金钱，可以再回乡间去隐居。

当你在都市里散步的时候，你看见大街上有美容室、鲜花店和运输公司，后边一条街上有药店、食品杂货店、铁器店、理发店、洗衣店、小餐馆和报摊。你闲荡了一个钟头，如果那是一个大都市的话，你依然是在那都市里；你只看见更多的街道、更多的药店、食品杂货店、铁器店、理发店、洗衣店、小餐馆和报摊。这些人怎样生活度日呢？他们为什么到这里来呢？答案很简单。洗衣匠洗理发匠和餐馆堂倌的衣服，餐馆堂倌侍候洗衣匠和理发匠吃饭，而理发匠则替洗衣匠和堂倌理发，那便是文化。那不是令人惊奇的事吗？我敢说有些洗衣匠、理发匠和堂倌一生不曾离开过他们工作的地方，到十条街以外的地方去的。谢天谢地，他们至少有电影，可以看见鸟儿在银幕上唱歌，看见树木在生长，在摇曳。土耳其、埃及、喜马拉雅山、安第斯山（Andes）、暴风雨、船舶沉没、加冕典礼、蚂蚁、毛虫、麝鼠、蜥蜴和蝎的格斗，山丘、波浪、沙、云，甚至于月亮——一切都在银幕上！

呵，智慧的人类，极端智慧的人类！我赞颂你。人们劳苦着，工作着，为生活而烦虑到头发变白，忘掉游玩：这种文化是多么不可思议啊！

# 人生的必需品，就是通过努力获得一切

亨利·戴维·梭罗

我们不妨认真思考一下，我上面提到的那些烦恼和忧虑究竟都是什么？其中哪些是不得不忧虑的？哪些至少是值得认真思考的？现在，我们虽然身处一个表面文明的社会，但如果能体验一下原始的蛮荒的生活，还是大有益处的。即使仅仅为了求证生活的必需品是什么，以及怎样才能获得这些必需品，甚至，我们还可以浏览一下商店里陈旧的流水账，看看人们经常购买的是些什么，商店积存哪些商品？简言之，就是了解一下杂乱无章的杂货铺。时代虽然在不断变迁，但人类生存的基本法则却不曾发生多少改变。正如我们的骨架，与我们祖先的相比，基本没什么区别。

我以为，所谓的人生必需品，是指人类通过努力获得一切，这些物品一开始就是人类生活所不能缺少的。或者说，由于长期使用，它们已经占据了人们生活的重要地位，即便有人尝试着脱离它，但这样的人屈指可数。这些人或是出于野蛮，或是因为贫穷，或者仅仅因为哲学的思考，而拒绝生活必需品。对许多生灵来说，最具备这种意义的生活必需品，就是食物。美味可口的食物。几英寸长的青草，加上饮用的冷水，就能成为草原上野牛的美味。除此之外，它们还要寻找森林的遮蔽之处或者山洞。野兽的生存只需要食物和遮蔽之处就可以。对人类而言，就目前来说，生活必需品可分为：食物、住房、服装和燃料。倘若没有这些，我们是无从怀着从容的心情，去应对那么多人生问题的。人类不仅发明房屋，还发明了衣服和美食。可能祖先因为偶然间发现了火焰的热度，于是开始使用火。最初，火还是奢侈品，可到了现在，人们的生活已离不开围火取暖了。我们观察到，猫和狗也同样获得了这个第二天性。住得适当，穿得适当，就能恰到好处地保持体内的热量。倘若住的和穿的都过热的话，或火焰燃烧太旺，烤得人太热，外边的温度高于身体的温度，不就成了炙烤人肉了吗？科学家达尔文说，火地岛的居民，有一伙人穿着衣服围着火堆烤火，并不觉得热，令人诧异的是，那些站得很远的野蛮人，“竟然被火焰烘烤得汗流浃背”。同样，我们听说新荷兰人赤身裸体但能够从容自若地四处活动，而欧洲人裹着厚厚的衣服还冻得瑟瑟发抖。野蛮人的耐寒和现代文明人的聪明，有没有可能合二为一呢？按照德国化学家李比希的说法，人的身体好比一个火炉，而食物就是它的燃料。天寒时，我们吃得多；天热时，我们吃得少。动物体内的恒定体温，也是体内食物缓慢内燃的作用结果，而如果内燃太旺盛，疾病和死亡就会发生。假如燃料用尽，或者通风装置发生问题，火焰自会熄灭。当然，体温与自然之火不一样。由此可见，动物的生命几乎和其体温是同义词。而食物是提供其能量的燃料。熟食当然也是燃料，熟食被我们吞进肚里，同样为我们的身体增加热量。此外，房子和衣物可保障体内热量的存在。我们体内的热量，就是这样产生和吸收的。

因此，对人体来说，最重要的必需品是保暖物品，以维持我们体内的热量。我们如此忙碌，为了食物、衣服、住所，还为了我们舒适的床铺，夜晚的衣物，为此我们竭尽全力。我们用鸟儿的羽毛来装扮我们的卧室，像住在地穴中的老鼠用草叶来装扮它们的巢穴一样。一些可怜人总抱怨，这个社会很冷漠。可见，无论是身体的疾病，还是社会供给不足，我们都把它归为寒冷。在某些地方的夏天，人们过的是一种乐园般的生活。除了必需的煮饭燃料之外，其他一切燃料都不需要。火热的太阳炙烤着大地，它的光线灼熟了果实。于是，这里的果实丰富，而且容易采摘，而衣服和住所在这里也显得多余，或者说有近一半是不需要的。当下，在我们国家，以我个人的经验来说，我觉得只要有几件工具，就足以生存了：一把刀，一柄斧子，一把铁铲，一辆手推车。勤奋刻苦的人还需要灯光和文具，再加上一些书，这些都已是第二位的必需品了，只需花很少的费用就能买到。然而有些人很愚蠢，他们穿越了一个半球，跑到另一个半球上，在一个野蛮的荒芜不净的地方，做了几十年的生意，就为了让自己生存，让自己活得安逸而温暖一些。最后，他们又返回新英格兰，还是不能避免死亡的命运。这些奢侈的有钱人，他们得到的不只是安逸和温暖，还有不自然的高温。正如我前面提到的，他们在被炙烤着。当然，他们可能自以为这种炙烤很时尚。

# 在铁匠铺，我治好了懒惰和多疑的毛病

爱弥尔·左拉

铁匠是个大个儿，当地最大的大个儿，双肩长满了肌肉疙瘩，面孔和臂膀被炉火和锤子迸射的铁屑炽染得黝黑。他的脑门方方的，一簇乱蓬蓬浓黑的头发下面，生着一双孩子气的蓝色大眼睛，锃亮如钢。他颌骨宽大，发出笑声和喘息声来，就像他那巨大的风箱在狂吹和呼啸；当他以力气十足的姿势抡起臂膀——这是他常年在铁砧旁边劳动养成的习惯动作——他简直不像是五十多岁的人；他能举起绰号叫“小姐”的25斤重的铁锤，挥舞着这厉害无比的“小姐”，从维农直走到卢昂。

这个秋天的傍晚，我第一次看到铁匠。他正在打一片铁铧，他敞着怀，露出健壮的胸脯，每呼吸一下，肋部便显现出久经锻炼的钢筋铁骨般的肋条。他身子向前一倾，猛地一下，把铁锤抡下来，就这样，片刻不停地、灵敏地、持续地晃动着身体，肌肉紧张而有力地伸展收缩；铁锤按照一个规律的圆圈环转，迸起点点火星，留下条条光尾。铁匠就这样挥舞着“小姐”。而他的儿子，一个二十来岁的小伙子，则用钳子夹住烧红的铁块，从另一面敲打，发出轻微的响声，被老头子手里“小姐”那令人眼花缭乱的舞蹈声所淹没。笃，笃——笃，笃——犹如母亲庄严的声音，在鼓励婴儿咿呀学语。“小姐”不停地舞蹈，抖动着裙衣上的钻石，她每次跳落在铁砧上，便在铁铧上留下一个脚印。一股血红的火焰一直飞溅到地面，照亮了两个工人魁梧的身躯，把他们高大的身影投射到打铁间阴暗而又乱糟糟的角落，熊熊的火光逐渐黯淡下来，铁匠停止了工作。他依然浑身黝黑地伫立在那里，手拄着铁锤的柄，任脑门上的汗水淋漓，他也不擦拭。他的两肋还在呼扇，在他儿子慢慢拉着的风箱的呼呼声中，我仍能听到他喘息的声音。

当晚，我便在他家投宿，不再离开。在打铁间上面，有一间空着的阁楼，他让我住，我就住下了。从早上五点开始，天还没亮，我就和主人一起干活。我被震响全屋的欢笑声唤醒(这里从早到晚都充满着巨大的欢乐)。在我的阁楼下面，铁锤已在飞舞。“小姐”把我当懒汉对待，她震动着楼上的天花板，像是硬要把我从床上拽起来。她把我那摆设着一个衣柜、一张桌子和两把椅子的破旧房间摇撼得吱吱响，催我赶快起床。我不得不起身下楼。楼下，炉火已经通红，风箱呼啸着，一堆蓝里透红的火焰从煤炭中升起，像一颗星辰在鼓吹炭火的疾风里灼灼燃烧。铁匠正在准备一天的活计。他在一个角落里搬运铁块，翻弄已经制成的耕犁，细细察看每一个铁轮。见我走下楼来，这和善的人就手叉着腰，呵呵地笑起来，大嘴直咧到耳根。能够五点就把我从床上吵起来，对他而言，这事很有意思。我认为他早晨是故意敲打铁锤的，为的是好让铁锤可怕的喧闹声当我的闹铃。他把粗大的双手搭在我的肩上，就像跟一个孩子讲话似的，俯下身子对我说，自从在他的废铁堆里生活以来，我的身体见好了。我们天天都坐在一辆翻倒在地面的破旧篷车的底板上，一块儿喝白葡萄酒。

此后，我白天大都是在铁匠铺里度过的。特别是冬季和阴雨天，我整天都在那里。我沉溺这种劳动之中。铁匠把铁块随心所欲地摆弄，这场持久的战斗像一出感人肺腑的戏剧，使我万分激动。我注视着从炉火中夹出来放在铁砧上的铁块在工人的攻无不克的努力之下，像柔软的蜡一样卷曲、伸直，揉成一团，惊叹不已。犁铧做成了，我就蹲在犁铧前面，却再也认不出前一天那块奇形怪状的废铁来；我细细端详一个个零件，似乎是力大无穷的手指在不借助火力的情况下把它们捏成这个样子的。

铁匠从不唉声叹气。他白天干了14个小时的活儿，晚上还总是乐呵呵的，喜笑颜开，以心满意足的神情揩着手臂。他从不伤感，从不疲倦。万一房子塌下来，他也顶得住。冬天，他说他的铁匠铺里再舒服不过了。夏天，他便敞开大门，让干草的清香随风扑进。夏天夕阳西下之际，我便走到门前，在他身边坐下。那里正是半山腰，可以鸟瞰整个辽阔的山谷。耕过的田畴织成一望无际的地毯，消失在地平线尽头、黄昏的淡紫色的微光里。看到这幅景象，他感到非常幸福。

铁匠爱说笑话，他说，他拥有这里所有的土地；他说，他的铁匠铺给这一带供应了两百多年的耕犁。这是他的荣誉。没有他，什么庄稼也长不出来。平原上，五月碧绿，七月金黄，这块色彩变幻无穷的织锦有他的一份功劳。他像热爱自己的女儿一样

爱庄稼，赶上出太阳的好天气，他便欢喜雀跃；看到令人郁闷的乌云，他便举拳咒骂，他常常指给我看远处几块还没有他脊梁大的土地，向我叙述了某一年他为这块燕麦地或稞麦地造过一部耕犁。农忙季节，他有时撂下铁锤，走到路边，手遮阳光，放眼四望。他看见自己制造的无数耕犁在啃噬泥土，开出一道道垄沟，前面、左面、右面，到处皆是。耕牛慢慢地前行，像千军万马在推进。犁铧在阳光下闪烁，发出银光。他便向我抬手，叫我来看看他的耕犁在做着多么“神圣的工作”。

所有这些在我的阁楼下叮叮当当的铁材，向我的血液里注入了铁质，这比服用药房买来的药对我更有效。我习惯了这种喧闹，我需要这种铁锤与铁砧碰撞发出的音乐，从中倾听生活的节奏。在被风箱的轰鸣弄得欢腾活跃的房间里，我的头脑恢复了健康。笃，笃——笃，笃——，这铁锤就是调节我的工作时刻的愉快的钟摆。在劳动最紧张的关头，铁匠发威了，烧红的铁块在着了魔似的铁锤的跳跃下铿锵作响。这时，我的手腕也如同感染了

一股巨大的活力，真想大笔一挥把这世界荡平。不久，当铁匠铺重归于平静，我的脑海里也便归于平静；我走下楼来，看到那些被征服而还在冒烟的金属，为自己微不足道的工作惭愧不已。

啊！在午后酷热的空当，他是多么壮美矫健！他上身直裸到腰间，肌肉突显而坚硬，犹如米开朗基罗创作的力感极强的巨大雕像。在他身上，我发现了我们的艺术家们煞费苦心地在希腊死人的肉体上寻找的现代雕塑的线条。在我心中，他就是因劳动而变得伟大的英雄，是我们时代的不知疲倦的儿子。是他，片刻不停地在铁砧上锤制我们赖以维生的工具；是他，在烈火中用铁材锻造明天的社会。他用铁锤做游戏。当他开心取乐的时候，就抡起“小姐”，全力以赴地敲打。于是在他周围，在玫瑰色的炉火的光辉里，响起一片雷鸣。我好像听见了劳动着的人民的声息。

铁匠铺里，在无数耕犁中间，我治好了懒惰和多疑的毛病。

# 每个人都是自己命运的设计师

弗朗西斯·培根

毋庸置疑，外在的偶然因素会影响人的命运，如相貌、时机、别人的死亡和施展才能的机会等，但人的命运最终还是掌控在自己的手中。所以，有个诗人说：“每一个人都是他命运的设计师”。

上述的外在原因如果总是经常出现的话，这便是某个人所做的愚蠢事情，因为它只是造成了另外一个人的时运。众所周知，最快捷的成功就是趁着他人的出错而获得的成功，“蛇必须吞噬其他的蛇才能成长为巨龙”。有些优点的确显而易见，值得每个知晓它的人的称赞；但是一个人隐蔽的长处或者一个人表现自己的有效方式，往往才是一个人获胜的关键法宝。这些方式无法进行准确的描述，更不能相互传播，也许西班牙字眼disemboltura可以大概探个究竟：只要一个人没有褊狭的观念并且待人处世的态度端正，他头脑中前进的方向才能和命运之轮的前进方向一致，并同时起步。

正是由于这个原因，李维在形容加图时虽然说："这个人的体魄强健，心智成熟，因此无论他出生在哪个家庭都会有较好的时运。"但是，他最后还是发现这个人具有"灵性"。所以，只要一个人睁大眼睛仔细观察，就能看到命运女神的踪影；虽然命运女神的一双眼睛被蒙住，但是她还是有自己的行踪的。

命运的轨迹就像是天上的银河，无数的星星聚集在一起组成了银河，但是看上去银河不是分散的星星点点，而是一条完整的光带；同样的道理，促使一个人有较好的时运也是由于他身上的小小的优点或长处，或者说是一些好的习惯和能力。

人们对于其中的奥妙是想象不到的，但是意大利人却可以洞察其中的天机。当意大利人谈论一个几乎很少出差错的幸运儿时，他们一般会说一句："这个人倒是会几分装聋作哑。"而人人都熟知的，常常使人走运的习性不外乎两种：一是少几分真诚朴素，二是会几分装聋作哑。由此可以看出，那些最为忠君爱国的人很少走运，而且永远不会走运，因为一个人连自我都不考虑的话，他必然不会只顾自己的利益。很容易就会得到的幸运，仅仅造就了一批鲁莽汉和冒险家；但是经过千辛万苦才换来的幸运，却可以成就杰出的人才。

幸运就其本身来说，是应该受到人们的尊敬和崇尚的，即便仅仅是出于尊重她的两个女儿——"自信"和"声誉"。自信一直留存在幸运的人的心中，而声誉则保留在知晓幸运者的那些人的

心里。智慧的人为了防止他人嫉妒自己的优点，总是习惯于把自己的长处归因于上帝和命运之神，这样他们就可以最大限度地发挥他们的优势了。

另外，神灵的保佑也使得他们的不凡之处得以展现。于是，恺撒曾经在暴风雨中对舵工说："你的船不仅载着我，还载着我的运气。"所以，苏拉宁可把自己称为"幸运的苏拉"而不是"伟大的苏拉"。并且历代的人们都观察到，凡是过分把自己的成就归因于自身的聪明才智的人，最后的结局都很不幸。

据史书记载，雅典将军提谟修斯每次做政府述职时，总是喜欢说一句："这次胜利绝不是仅仅依靠运气。"结果后来他没有建过更伟大的功勋。毋庸置疑，有些人的运气如同荷马的诗歌那样，而荷马的诗歌比其他人的都要顺畅；普鲁塔克在把阿偈西劳和伊巴密浓达的运气与提摩列昂的运气做比较的时候，就使用了这个比喻；人与人的运气不同，这是一件正常的事情，但是运气也取决于每个人自身，这一点也是明白无误的。

# “集中”是成功者的法则

拉尔夫·瓦尔多·爱默生

成功总是和某种正面的或积极的力量结伴而行：一盎司的力量必定能够平衡一盎司的重量。尽管一个人无法再回到母亲的子宫，带着崭新的活力重获新生，但是，我们并没有就此陷入绝境，有一种经济实用的方法，在这种情况下可以充当最好的代用品：断然终止缠绕着我们的种种琐事，集中我们所有的精力，关注一个或几个关键的事情，就像一位园丁，通过严格的修剪和约束，迫使树木的元气集中到某一个或某几个粗壮的树枝上，而不是放任它们，听任它们随意地四处游荡。

在生活中，集中精力是一种智慧明达的做法，而耗费自己的精力则是一种无异于自杀的邪恶行为，而且，无论我们的精力是分散在庸俗的还是崇高的目标上，是分散在财产以及由此而来的累赘上，或者是分散在朋友那里，或者是分散在一种社会习惯、政治、音乐、节日庆典上……这一切都没有什么区别。我们应该铭记这道神谕：“莫要强求汝等之命运，莫要强做

非汝等该为之事。”

凡事，只要能够从我们身上剔除掉一件玩物或者一个幻想，只要能够把我们赶回家中，激励我们诚心诚意地再努力一刻，那就是一件功德无量的好事。朋友、书籍、图画、较为低级的职责、才干、谄媚、希望——所有这一切，都令我们心神不定，精神涣散，使我们像急速旋转的气球一样，在剧烈的振荡中迷失自我，使我们颠三倒四，失去平衡，无法采取一条笔直的航向，冲向我们梦寐以求的目的地。

我们必须选择我们的工作！我们只能获得我们的头脑所能获得的东西，并且放弃其余的一切。唯其如此，那种生气勃勃的力量才能积少成多，从而才能按部就班，由知而行，从易到难。不论一个人具有多么强大的洞察力，使一切的懒散在他面前没有丝毫的藏身之处，他也很少采取由知而行的步骤。然而，这一步却是跨出愚蠢低能的粉笔圈的第一步，跨过了这一步，他才有可能进入硕果累累的丰收之地。许多艺术家就是因为缺乏这一步而缺

乏一切：他们绝望地望着雄赳赳气昂昂的米开朗琪罗或切利尼。在他们的思想里，也有大自然的灵感在激荡呼喊，他们也能够与自然和第一动因并驾齐驱，可是，他们却没有那种鼓起劲来将他们全部生命迅速投入一次行动的爆发力。诗人甘贝尔说过："一个习惯于工作的人能够胜任他所决心要取得的任何成就。对于他来说，鼓舞他的诗才的力量不是灵感，而是需要。"

集中力量！这是政治、战争、贸易——总而言之，是人类一切管理的技巧之所在。这个世界上最精彩的一件逸事，就是牛顿面对着别人"你是怎样才能够做出你那些发明的呢？"所做的回答："因为我的心总是盘算着要去发现。"这句朴实无华的话告诉了我们一切。还有，如果你想学一句政治学方面的名言的话，那么请记住普鲁塔克的这句话："在整座城市里，人们只能在一条街上看见培里克里斯，就是那条通向市场和市政厅的大街。他婉言谢绝了一切参加宴会、欢聚和集会的邀请。在他执政的整个时期内，他从未在任何一个朋友的桌面上用过餐。"这样的事情在商业

方面也不乏先例——一位善良的人奉劝罗思柴尔德说：“我希望您的孩子们不要过于喜爱金钱和经商，我肯定，您不会愿意他们那样的。”罗思柴尔德回答道：“不，我敢打包票，我会愿意那样。我希望他们把全部的思想、灵魂、心灵和肉体都凝聚在经商上，因为，只有那样，他们才能够到达幸福的彼岸。要想发一笔大财，那么，相当的勇气和相当的谨慎就是必不可少的，而当你得到了这笔财富之后，事情并没有随之而结束，相反，那需要十倍的智慧和勇气，去守护它，经营它。如果我去倾听所有那些对我提出的建议，我很快就会毁了自己。年轻人，干一件事就要坚持下去。把你的酿酒事业坚持下去（他曾对年轻的巴克斯顿说过这句话），你就会成为伦敦伟大的酿酒商。不管是酿酒商，是银行家，是商人，还是制造商，你都会很快出现在报纸上。”

# 出身贫苦的人拥有坚定而充足的自信

亚瑟·叔本华

伟大的幸福论者伊壁鸠鲁把人类的需要分为三类，他所做的分类非常准确。第一类是自然且必需的需要，如食物和衣服。这都是容易满足的需要，如果缺乏就会有痛苦感。第二类是自然但并非必需的，如某种感官的满足。在此我要说明一下：根据狄奥简尼·卢尔提斯的记述，伊壁鸠鲁并没有指明是哪些感官，因此与原有的伊氏学说相比，我所叙述的更加固定和确实。第二种需要较难满足。第三类就是既非自然又非必需的，如对奢侈、挥霍、炫耀及光彩的渴望。这种需求就像无底的深渊，很难让人满足。

用理性定义出财富欲的界限确实很难，我们几乎不能找出可以让人感到真正满足的财富量，这一数量是相对的，就像在他所求和所得间，通过意志保持了一定的比例。只凭人的所得来衡量其幸福，不管他所希望得到的——这样的衡量方式，好比只有分子而不能写出分数一般无效。对自己不希冀的东西，人不会产生失落感：没有那些，他依然可以快乐；而另一类人，即使拥有无数财富，却常常为自己得不到所希望的东西而苦恼。在他所见范围内的东西，只要他能够得到，就会感到快乐；而一旦不能得到，就会终日苦恼。每个人都有自己的地平面，超出这个范围的东西，对他来说，能否获得并没有影响。

所以，富翁的亿万财富并不会让穷人眼红，而富翁也不能用财富来弥补希望的破灭。财富就像海水，喝得越多，就越口渴，名声同样是这个道理。除去第一次阵痛，丧失财富并不能让人的习惯气质出现改变；要是人不能摆脱财富减少的命运，他就会主动减少自己的权利。当噩运来临，减少权利确实十分痛苦，不过如果做了，这种痛苦就会慢慢减小，直至没有了感觉，就像痊愈的旧伤那样。相反的情形是，好运降临，权利愈来愈多，没有约束。这种扩展感让人快乐，但是非常短暂，当扩展完成，快乐也就跟着消失了，习惯了权利增加的人们，慢慢地就不再关心满足他们的财富数量。《奥德赛》中的一句话就是这一真理的描述：

“在我们不能增长财富，却又不停想增加权利时，不满之情随之产生。”

我们如果清楚人类的需要是何等之多，人类的生存怎样建立在这些需要之上，就不会惊讶于财富为什么要比世上其他东西更加尊贵，为什么财富会占有如此荣耀的地位；对于一些人把谋利看作生命的唯一目标，并把不属于此途的——比如哲学——推到一旁或抛弃于外，我们都不会觉得惊讶。那些渴求金钱和喜爱金钱超过一切的人总是会受到斥责，这是非常自然且不能避免的事情，他们就像多变又乐此不疲的海神，追求很多事物，随时随地都想满足自己的一切欲望。任何其他的事都会变成满足对象，不过一件事物仅能满足一个希望和一个需求。食物固然是好东西，却只有在饥饿时才是这样。假如晓得享受美酒的话，酒也是这样；患病时药便是好的；天冷时火炉便是好的；年轻时爱情便是好的。当然，这所有的好只是相对而言的，唯有金钱才是绝对的好：钱不仅可以具体地满足特殊的需要，还可以抽象地满足一切。

假如人有一笔自己非常满意的财富，他就应该把它作为抵御他可能会遇到的不幸或灾祸的保障；而不应当作在世间花天酒地的许可证，或认为钱就应该这样用。那些白手起家的人，通常认为致富的才能是他们的本钱，所挣得的金钱只能算作利润，所以他们尽数花掉所挣的钱，却不知道把一部分存起来当作固定资本。这类人大部分会再次沦为贫穷：或收入降低，或毫无进项，这一切源自他们才能的枯竭，或者时过境迁，让他们的才能丧失了用武之地。而那些以手艺为生的人，随便花掉所得却并无大碍，因为手艺是一种不易失去的才能，假如某人失去了手艺，他的同行完全能够弥补；另外，这类人的工作为社会普遍所需，因此古语说："一项有用的行当就像一座金矿。"而对于艺术家与其他专家，情形却又不同，这也是他们的收入比手艺人高得多的原因。这些收入高的人本来应该存一些钱当作资本，但他们却把收入当作利润全部花掉，以致后来变得十分窘困。此外，继承遗产的人至少可以知道哪部分是资本与利润，并尽力保全资本，轻易不会动用；假如情况紧急，他们至少会存起八分之一的利息来应付。所以他们中的大多数可以保证其地位不会降低。

前述的有关资本和利润的几个观点并不适用于商业界：金钱之于商人，就像工具之于工人，只是获取利益的手段，所以即使他的资本全都是自己努力赚取的结果，他也会灵活运用这些钱以保有和增加财富。因此，没有别处能像商业阶级那般，把财富当成平平常常的事物。

我们能轻易发现，那些切身体验过与了解贫穷和困乏滋味的人，不再害怕困苦，正因为这样，与那些家境富裕、只听说过穷苦的人相比，他们也更容易产生挥霍的习惯。与那些依靠运气致富的暴发户相比，生长于优越环境的人常常更加节省和谨慎计划未来。这样看来，真正的贫穷似乎并没有传闻中说的那么恐怖，其中真正的原因就是，出身优越的人总把财富看得如空气一般重要，失去财富他就不知该怎样生活；因此他会像保护自己的性命一样保护财富，进而也会热爱有规律、节俭和谨慎的生活作风。但对于自小习惯了贫穷的人而言，一旦致富，他也会把财富看作过眼烟云，就像尘土一样，可以随便用于享受奢侈品，因为他随时都可以过以往那种困苦的生活，还能不必为金钱忧虑。莎士比亚在《亨利四世》一剧中说：“乞丐可以优哉游哉地生活一世，这话真不假！”

应该说，出身贫苦的人拥有坚定而充足的自信，相信命运，更相信天无绝人之路——相信自己的智慧，也相信自己的心灵；因此同富人不同，他们不会将贫穷的阴影看作无底的深渊，而是坚信，即便再一次跌倒，依然可以再爬起来——人性中的这个特点恰好可以证明婚前穷苦的妻子为何总比那些嫁妆丰厚的太太更爱花钱，要求也更多。显然，富家女带来的不只是财富，还有比贫家女更自然的保有这些财富的本能。假如有人怀疑这一点，并认为实际情况刚好相反，那么他可以在亚理奥斯图的第一首讽刺诗中找到答案；而另一方面，姜生博士的一段话却正好印证了我的观点：“出身富贵家庭的女子，早就习惯了支配金钱的生活，懂得怎样谨慎地花钱；与之相比，一个因结婚而首次获得金钱支配权的女子则会更加热衷于花钱，奢侈浪费也就不足为奇了。”

在我奉劝大家慎重保管自己赚取或继承的财富时，还有一件事情需要说明：倘若有一笔钱足以让人不必工作就能够独立舒适地生活，即使只够一个人的花销——够全家人用的就不必考虑了——也相当于捡了个大便宜，因为有了这笔钱，那好似慢性病一样黏在人们身上的贫苦就可以“药到病除”了，人类就能够从几乎注定了的强迫劳役中解脱出来。只有这样幸运的人才能说是生而自由的，他们才可以成为自己所处时代的主人，才可以在每天早上骄傲地说：“这一天是我的。”

正因为这样，每年收入过百和每年收入过千的人之间的差距，远小于前者和一无所有者之间的对比。如果具备高度心智力的人继承了遗产，那么这笔财富就可以实现最大的价值，这种人大多追求的是一种自己不必拼命赚钱的生活，所以假如获得遗产，就好像获得了上天双倍的恩典，其聪明才智可以得到完美发挥，实现他人所不能实现的工作——可促进群众福利并增加整个人类的荣耀，假如他以百倍于此的价值报答曾给予他这区区之数的人类，另一类人或许会用其所获得的遗产去开展慈善事业以帮助同胞们。不过倘若这个人对上述事业毫无兴趣，也没有尝试去实践，从来不曾专心地研究一门学问以促进其发展，那么即使他长于优越的环境，这种环境也只会让他更愚笨，变成时代的蠢材，被他人所不齿。

如此情形下，他是不会感到幸福的。金钱虽然让他免于贫苦，却让他掉进另一种人类痛苦的深渊——烦闷。这种烦闷的痛苦，让他宁可贫苦——假如这能让他有事可做的话。也因为烦闷，让他更倾向于浪费，最后导致他丧失了这种自以为不值得去占的便宜。大家都是这样：当他们有了钱以后，就用钱去购得暂时的解放，以使自己逃离烦闷感的压迫，但最后的结果，常常是自己又陷入贫苦。

如果一个人以政治生涯的成功作为自己奋斗的目标，那么情况又会变得不一样。在政界，个人利益、朋友和各种关系都是帮助他迈向成功顶端的重要因素。在这种生活中，处在社会底层一无所有的人较容易实现目标。假如他雄心勃勃，头脑灵活，即使并非贵族出身，甚或身无分文，这不但不是他事业的障碍，反而更会增加他的声望。因为在平时与他人的接触中，几乎每个人都希望别人有不如自己的地方，这种情形在政界表现得更为明显。一个穷光蛋，不论是从哪一方面看，都是绝对地、彻底地不如他人，更因为他的弱小和微不足道，反而让他在政治把戏中悄然占有一席之地。唯有他可以做到深深的鞠躬，需要时甚至是磕头；只有他可以对任何事物既妥协又能肆意嘲讽；只有他明白仁义道德的虚假；在提到或写到某位领导要人时，只有他能放开最大的音量和运用最大胆的笔调；只要他们稍作回应，他就能把这誉为最富神采的佳作。只有他清楚怎样乞求，所以如果他脱离孩童时期，就即刻变成一名教士，来宣传这种歌德所揭示的隐秘背后的秘密。

抱怨世俗目的的低下根本就是在发牢骚，无论人们怎么说，他们就是世界的统治者。

另一方面，生来就有充足财富可以舒适过一生的人，一般来说都会拥有一颗独立的心，不惯于同流合污；也不会低声下气地乞求他人；甚至还会追求一点儿才情，即使他应该清楚这种傲骨的才气远远不是凡人谄媚的对手；由此渐渐看清了上位者的本来面目，当对方羞辱自己时，就会表现得更加倔犟和不屑。高处不胜寒——那些上位者绝非得世之道，他们必将牢牢记住伏尔泰所说的话：

“生命短促如蜉蝣，用短短一生去侍奉那些卑鄙的浑蛋，是多么不值得啊！”

不过，世间“卑鄙的浑蛋”终是人多势众，所以米凡诺所说的“假如你的贫穷大过才气，你是很难有所成就的”，只适用于文艺界，政界及社会的野心则另当别论。

在上述的人的产业中，我没有提到妻子与子女，由于我认为自己是为他们所有而并非占有他们。此外，我貌似还应该提到朋友，但朋友的关系应该是一种相互的关系。

# 优秀的人通常是孤独的

弗里德里希·威廉·尼采

什么是卑贱？词语是观念的表达符号；而观念则是反复出现、同时出现的感觉，或感觉群中多多少少比较明确的心理符号。我们想要达到相互理解的目的，光使用相同的词语是不够的，还必须使用相同的词语来表达相同种类的内心体验，最最根本的，我们在体验上必须是一致的。基于这个原因，就算不同民族的人使用相同的语言，民族内部也要比不同民族之间更能够相互理解；或者更准确地说，若人们长期一起生活在相同的（气候、土壤、险境、需求、辛苦等）条件下，一个能够“自我理解”的实体便应运而生——即，一个民族。在一切灵魂中，数目相同并屡次出现的体验已将较少出现的体验压倒，于是，人们能迅速地相互理解这种体验——语言的历史就是一种缩写过程的历史。

靠着这种迅速的理解，人们越发紧密地结合在一起。危险越大，就越需要更快更畅通地在关键事务上统一意见；身处危险之中的人不互相误解——这是交往过程中必不可少的。而且，在一切爱和友谊中，人们体验到，当使用相同词语的双方之一，发现在感情、思想、直觉、愿望或恐惧上与另一方不同，那么，爱和友谊也就没了。（对“永恒误解”的恐惧，正是这一守护神常常阻止异性过于匆忙地彼此依附，尽管感官和心灵促使他们彼此依附——并非某种叔本华式的“人类守护神”！）在灵魂中觉醒得最快，并开始讲话和下命令的那一类感情，决定了价值的基本等级次序，并最终决定想要东西的清单。对价值的看法，某种程度上会暴露该人的灵魂结构，其生活状况和内在需要也会因此显现。如果因为命运安排，所有时代召集到一起的，只是能用相同符号表达需要和相同体验的人，那么总的结果便是，人们便可以轻而易举地传播其需求，这最终说明人们仅具备普通的和共同的体验，迄今为止，所有作用于人类的力量中，这肯定是最强大的一种。比较相同的、普通的人，向来是占有优势的；比较杰出的、高雅的、独特的和难于理解的人，却通常茕茕孑立；他们总是在寂寞中因偶然而死，少有能繁衍生息的。必须在相反的巨大力量上借力，才能将这种自然的、太自然的同化众生的进程阻止，在这一进程中，人会演化成面目雷同的、普通的、平庸的、喜欢群居的人——演化成卑贱的人！

# 书是为了用，不是为了炫耀

威廉·菲尔普斯

读书的习惯是人类学得知识的最重要的方法之一。我们在阅读属于自己的书时所得到的乐趣，远远大于阅读借来的书时所得的乐趣。

一本借来的书就像是家里的一位客人，必须小心翼翼地，以唯恐引起别人不高兴的一种拘谨态度来对待。你务必使它完好无损，使它在你家里时不遭破坏，你不能漫不经心地随手乱放，你不能在书里做记号，你不能折书页，你不能随便使用它。而且，有一天你得将它归还原主，尽管你很少做到这一点。但是你自己的书是属于你的，你可以毫无拘束地用一种深情的亲昵态度来对待它们。

书是为了用，不是为了炫耀。你所拥有的书不应该使你害怕做上记号，或害怕摊开来和翻转过来放在桌上。在书内你所喜欢的段落标上记号的一个重要原因是，这样可以使你更容易地记住那些重要的话，很快地找到它们，若干年后再读到时，那就像重访一个你曾在树皮上刻过印痕的森林，你会有一种踏上了熟悉的土地的乐趣，回忆起思想上接触过的景色和你本人曾有过的自我。

每一个人都应该在青年时期就开始搜集和收藏书籍。人占有私有财产的这种基本的本能，在这里得以有百利而无一弊地加以培养。人们应该有自己的书柜，书柜应该没有门、玻璃窗或锁，它们应该是开放的、方便的，眼一见到即可伸手取得。

最好的墙壁饰物是书，它们的颜色和外观丰富多采，胜过任何墙纸，它们的图样设计也更有吸引力。它们还有一个最大的好处：集中了许多各不相同的名人。当你独自坐在室内炉火旁时，你会觉得身边围聚着不少知心朋友，你知道一眼就能看到他们，这是令人既激动又振奋的。

你不必读遍全部藏书，我的室内生活多半是在一间存放着6000册书的房间里度过的。对于陌生人提出的一个千篇一律的问题，我有一个常备的答案“这些书你全都读过了吗？”“有些书读过两遍。”这个回答既真实，又出乎他们的意料。

我们最好的朋友当然是活生生的，能喘气的，有血有肉的男男女女。我对读书的挚爱从未使我成为遁世的隐士，这是怎么做到的？书籍是人所拥有的，由人使用的，为人服务的。文学是历史的永存部分，它是人的品格中最好的、最持久的部分。书籍朋友较之有生命的朋友有着这样的长处：任何时候只要你愿意，你就可以接触到世界上最真实的气质高贵的人们。

已故的伟人是我们无法亲身接触的，而活着的伟人通常几乎也是同样地无法接近的，至于我们个人的朋友和熟人，我们也不能经常看见他们，他们或许已经就寝，或许已经出门旅行去了。可是，在你的私人图书馆内，你可以在任何时候同苏格拉底或莎士比亚，或卡莱尔，或大小仲马，或狄更斯，或萧伯纳，或巴里，或高尔斯华绥交谈。而且，毫无疑问，在这些书里，你可以看到这些人正处于他们的最佳状态，尽力以最好的东西使你高兴，给你一个好印象。就像观众对演员是必要的一样，你对这些作家也是必要的，只不过你不是看见他们戴着面具，而是一直看到了他们内心的最深处。

# 四
# 我们何其幸运

我想要让你知道你表现出来的悲伤也很美丽，我会尽我大的努力来尽量感受你的不幸。我想要让你知道，有坏情绪、压力感和小脾气的你与快乐时的你一样可爱。请不要再压抑自己的情感。

# 新生活就是有意思的生活

胡适

哪样的生活可以叫作新生活呢？

我想来想去，只有一句话。新生活就是有意思的生活。

你听了，必定要问我，有意思的生活又是什么样子的生活呢？

我且先说一两件实在的事情做个样子，你就明白我的意思了。

前天你没有事做，闲得不耐烦了，你跑到街上一个小酒店里，打了四两白干，喝完了，又要四两，再添上四两。喝得大醉了，同张大哥吵了一回嘴，几乎打起架来。后来李四哥来把你拉开，你气忿忿地又要了四两白干，喝得人事不知，幸亏李四哥把你扶回去睡了。昨儿早上，你酒醒了，大嫂子把前天的事告诉你，你懊悔得很，自己埋怨自己："昨儿为什么要喝那么多酒呢？可不是糊涂吗？"

你赶上张大哥家去，作了许多揖，赔了许多不是，自己怪自己糊涂，请张大哥大量包涵。正说时，李四哥也来了，王三哥也来了。他们三缺一，要你陪他们打牌。

你坐下来，打了十二圈牌，输了一百多吊钱。你回得家来，大嫂子怪你不该赌博，你又懊悔得很，自己怪自己道：“是呵，我为什么要陪他们打牌呢？可不是糊涂吗？”

诸位，像这样子的生活，叫作糊涂生活，糊涂生活便是没有意思的生活。你做完了这种生活，回头一想，“我为什么要这样干呢？”你自己也回不出究竟为什么。

诸位，凡是自己说不出“为什么这样做”的事，都是没有意思的生活。

反过来说，凡是自己说得出“为什么这样做”的事，都可以说是有意思的生活。

生活的“为什么”，就是生活的意思。

人同畜牲的分别，就在这个“为什么”上。你到万牲园里去看那白熊一天到晚摆来摆去不肯歇，那就是没有意思的生活。我们做了人，应该不要学那些畜生的生活。畜生的生活只是糊涂，只是胡混，只是不晓得自己为什么如此做。一个人做的事应该件件事问得出一个“为什么”。

我为什么要干这个？为什么不干那个？回答得出，方才可算是一个人的生活。

我们希望中国人都能过这种有意思的新生活。其实这种新生活并不十分难，只消时时刻刻问自己为什么这样做，为什么不那样做，就可以渐渐地做到我们所说的新生活了。

诸位，千万不要说“为什么”这三个字是很容易的小事。你打今天起，每做一件事，便问一个为什么，——为什么不把辫子剪了？为什么不把大姑娘的小脚放了？为什么大嫂子脸上搽那么多的脂粉？为什么出棺材要用那么多叫花子？为什么娶媳妇也要用那么多叫花子？为什么骂人要骂他的爹妈？为什么这个？为什么那个？——你试办一两天，你就会觉得这三个字的趣味真是无穷无尽，这三个字的功用也无穷无尽。

诸位，我们恭恭敬敬地请你们来试试这种新生活。

# 在春天，幸福的人也会被吸引到远方去

伊凡·谢尔盖耶维奇·屠格涅夫

渐渐地牵引他向后方：
回到幽暗的花园里，回到村子上，
那里的菩提树高大而荫凉，
铃兰花发出贞洁的芬芳，
那里有团团的杨柳成行，
从堤畔垂垂地挂在水上，
那里有繁茂的橡树生长在膏腴的田地上，
那里的大麻和荨麻发出馨香……
到那地方，到那地方，到那辽阔的原野上，
那里的土地黑沉沉的像天鹅绒一样，
那里的黑麦到处在望。
静静地泛着柔软的波浪。
从一团团明净的白云中央，

照射出沉重的、金黄色的阳光。

那是个好地方……

——节自待焚的诗篇

也许，读者已经有点厌倦我的笔记了，我赶快安慰他，约定限于已经发表的几篇为止，但是在跟他说再见的时候，不能不稍微说几句关于打猎的话。带了枪和狗去打猎，就此而言，即从前所谓fursich，是一件绝妙的事；纵然你并非天生的猎人，但你总是爱好自然和自由的，因此你也就不能不羡慕我们猎人……请听

我讲吧。

例如，春天黎明以前乘车出游时的快感，你能感受吗?你走上台阶……深灰色的天空中有几处闪耀着星星；温润的风时时像微波一般飘过来；听得见夜的隐秘而模糊的私语声；阴暗的树木发出微弱的喧噪声。仆人把地毯铺在马车上了，把装茶炊的箱子放在踏脚的地方了。两匹副马畏缩着身子，打着响鼻，优雅地交替着蹄子站在那里；一对刚才睡醒的白鹅静悄悄、慢悠悠地穿过道路。在篱笆后面的花园里，看守人安然地在那里打鼾；每一个声音都仿佛停滞在凝结的空气中，停滞不动。于是你坐上车；马儿一齐举步，马车发出隆隆的声音……你乘着马车，经过教堂，下山向右转，开过堤坝……池塘上刚开始升起烟雾。你觉得有点儿冷，就用大衣领子遮住了脸；你打瞌睡了。马蹄踏在水洼里发出很响的声音；马车夫吹着口哨。但是这时候你已经走了大约四俄里……天际泛红了；乌鸦在白桦树丛中醒过来，笨拙地飞来飞去；麻雀在暗沉沉的禾堆周围叽叽喳喳地叫。空气清朗了，道路看得更加清楚，天色明净起来，云发白了，田野显出绿色。农舍里点着松明，发出红色的火光，大门里面传出瞌睡蒙眬的说话声。这期间朝霞发红了；已经有金黄色的光带扩展在天空中，山谷里缭绕地升起一团团烟雾来，云雀嘹亮地唱着歌，黎明前的风吹出了——

于是深红色的太阳徐徐升起。阳光像流水一般进出，你的心像鸟儿一般振奋起来。一切都新鲜、愉快而可爱!四周远处都看得清楚了。小树林后面有一个村庄；再过去些还有一个村庄，村里有一所白色的礼拜堂；山上有一个白桦林；这树林后面是一片沼地，就是你的目的地……快跑，马儿，快跑!跨着大步向前进!……

P. Gauguin 88

只剩下三俄里了。太阳很快地升起来；天空明净……今天天气一定很出色。一群家畜从村子里迎面而来。你的车子登上山顶……风景好极了!河流蜿蜒大约十俄里，在雾色中隐隐地发蓝；河那边是大片的水汪汪的青草地；草地那边有几个平坦的丘陵；远处有几只田凫在沼地上空飞鸣；通过散布在空气中的滋润的阳光，远处的景物显得很清楚……不像夏天那样。呼吸多么自由，四肢动作多么爽快，全身被春天的清新气息笼罩着，感到多么健壮！

夏天七月里的早晨!除了猎人，还有谁曾体会到黎明时候在灌木丛中散步的快乐呢?你的脚在露水沾湿的草上留下绿色的足迹。你用手拨开濡湿的树枝，夜里蕴蓄着的一股暖气立刻袭面而来；空气中到处充满着苦艾的新鲜苦味、荞麦和三叶草的甘香；远处有一片茂密的橡树林，在阳光下发出闪闪的红光；天气还凉爽，但是已经觉得炎热迫近了。过多的芬芳之气使得你头晕目眩。灌木丛无边无际……只是远处某些地方有一片黄澄澄的成熟了的黑麦，一条条狭长的粉红色的荞麦田。这时候一辆马车轧轧地响起；一个农民慢慢走来，把他的马预先牵到荫凉的地方去……你招呼他一下，就走开了；你后面传来镰刀的响亮的铿锵声。太阳越升越高。草立刻干燥了。天气炎热起来。一个小时过去了，又一个小时过去了……天际渐趋黑暗；静止的空气中散发出火辣辣的热气。

“老兄，这儿有可以喝水的地方吗?”你向一个割草的人问道。

“那边山谷里有一口井。”

你穿过缠着蔓草的茂密的榛树丛，走到山谷底下。果然，断崖的下面隐藏着泉水；橡树的掌形枝叶贪婪地铺展在水面上；

银色的大水泡摇头晃脑地从长满细致柔滑的青苔的水底升起来。你趴在地上，饱饮一番，但是懒得再动了。你现在正在荫凉的地方，呼吸着芬芳的湿气，你觉得很舒服，可是你对面的丛林晒得火辣辣的，在阳光底下仿佛颜色发黄了。然而这是什么呀?风突然吹来，又疾驰而去；四周的空气颤动了一下：这不是雷声吗?你从山谷里走出来……天边的一片铅色是什么？是不是暑气浓密起来了？是不是乌云涌过来了？……但是这时候电光微微地一闪……啊，原来是暴风雨要来了：它前面的一边像衣袖一般伸展开来，像穹隆似的笼罩着。顷刻之间，草木全部黑暗了……赶快跑!那边好像有一间干草棚……赶快跑！……你跑到那里，走了进去……雨多么大!闪电多么亮啊!有些地方，水通过草屋顶滴在芳香的干草上……但是，瞧，太阳又出来了。暴风雨过去了；你走出来。我的天啊，四周一切多么愉快地发出光辉，空气多么清新澄澈，草莓和蘑菇多么芬芳！

但是现在黄昏来临了。晚霞像火焰一般燃烧，遮掩了半个天空。太阳就要落山了。附近的空气似乎特别清澈，像玻璃一样；远处笼罩着一片柔和的雾气，样子很温暖；鲜红的光辉随着露水落在不久以前还充满金色光线的林中旷地上；树林、丛林和高高的干草垛上都投射出长长的影子来……太阳落山了；一颗星在落日的火海里发出颤抖的闪光来……这火海渐渐泛白了；天空发青了；一个个的影子逐渐消失，空气中充满了烟雾。现在该回去了，回到你过夜的村中的农舍里去了。你背上枪，不顾疲倦，迅速地走着……这期间黑夜来临了；二十步之外已经看不见了；狗在黑暗中微微地显出白色。在那边黑压压的丛林上，天际模糊地发亮……这是什么?火灾吗?……不是，这是月亮升起来了。下面靠右边，村子里的灯火已经在闪耀了……终于到达了你的屋子。你从窗子里可以看到铺着白桌布的食桌、闪闪的蜡烛、晚餐……

有时你吩咐套上竞走马车，到树林里去猎松鸡。车子在两旁长着又高又密的黑麦的狭路上经过，是很愉快的事。麦穗轻轻地打你的脸，矢车菊绊住你的脚，四周有鹌鹑叫着，马儿跑着懒洋洋的大步子。树林到了，阴暗而寂静。体态匀称的白杨树高高地在你上面簌簌作响；白桦树的下垂的长枝微微颤动；一棵强大的橡树像战士一般站在一棵优雅的菩提树旁边。你的车子在长满绿草的、阴影斑驳的小路上行驶着；黄色的大苍蝇一动不动地在金黄色的空气中逗留了一会，突然飞去；小蚊蚋成群地盘旋着，在阴暗的地方发亮，在太阳光里发黑；鸟儿安闲地歌唱着。知更鸟的金嗓子欢愉地发出天真烂漫的絮絮叨叨声，这声音同铃兰的香气很调和。再走远去，再走远去，去到树林的深处……树林丛密起来……心中感觉到说不出的沉寂；四周也都充满睡意，悄然无声。但是忽然一阵风吹来了，树梢哗哗地响起来，仿佛翻落的波浪。有些地方，从去年的褐色的落叶中间生出很高的草来；蘑菇各自戴着自己的帽子站着。雪兔突然跳出，狗高声吠叫着急起直追……

同是这座树林，当晚秋山鹬飞来的时候，显得多么美好啊!山鹬不停在树林深处，必须到树林边上去找它们。没有风，也没有太阳，没有光亮，没有阴影，没有动作，没有声音；柔和的空气中弥漫着秋天的像葡萄酒似的香气；远处黄澄澄的田野上笼罩着一层淡薄的雾。光秃秃的褐色树枝中间，露出宁静而洁白的天空，菩提树上有几处挂着最后几张金色的叶子。两脚踏在潮湿的土地上觉得有弹性；高高的干燥的草一动也不动；长长的蛛丝在苍白的草上闪闪发光。呼吸舒畅，可是心里感到一种异样的惊悸。你沿着树林边缘走去，一路照看着你的狗，这期间可爱的形象、可爱的人——死了的和活着的——都回忆起来了，久已睡着了的印象蓦地苏醒过来；想像力像鸟一般翱翔，一切都在眼前清晰地出现并活动起来了。心有时突然颤抖跳动，热情地向前突进，有时一去不回地沉没在回忆中了。全部生活就像一个手卷似的轻快迅速地铺开；人在这时候掌握了他的全部往事，全部感情、力量，全部灵魂。四周没有一样东西来妨碍他——既没有太阳，也没有风，又没有声音……

在秋天，早晨严寒而白天明朗微寒的日子里，那时候白桦树仿佛神话里的树木一般全部作金黄色，优美地显出在淡蓝色的天空中；那时候低斜的太阳照在身上不再感到温暖。但是比夏天的太阳更加光辉灿烂；小小的白杨树林全部光明透彻，仿佛它认为光秃秃地站着是愉快而轻松的；霜花还在山谷底上发白，清风徐徐地吹动，追赶着卷曲的落叶；那时候河里欢腾地奔流着青色的波浪，一起一伏地载送着逍遥自在的鹅和鸭；远处有一座半掩着柳树的磨坊轧轧地响着，鸽子在它的上空迅速地盘着圈子，在明亮的空气中斑斑驳驳地闪耀着……

夏天烟雾弥漫的日子也很美好，虽然猎人不喜欢这种日子。在这些日子里不能打枪，因为鸟儿从你的脚边拍翅飞起，立刻消失在白茫茫的凝滞的烟雾中了。然而四周多么静寂，静寂得难以形容！一切都觉醒了，然而一切都默不作声。你经过一棵树旁边，它一动也不动，正在悠然自得。通过均匀地散布在空气中的薄雾，在你前面显出一片长长的黑影。你以为这是近处的树林；你走过去，这树林就变成了长在田界上的一排高高的苦艾。在你的上空，在你的四周，到处都是雾……可是这时候风轻轻地吹出了，一块淡蓝色的天空通过了稀薄如烟的雾气而显现出来，金黄色的阳光突然侵入，照射成一条长长的光带，落到田野上，钻进树林里——接着，一切又都被遮蔽起来。这斗争继续了很久；但是光明终于胜利，被太阳照暖了的最后一阵阵烟雾时而凝集起来，铺展得平平的，时而盘旋缭绕，消失在发着柔和的光辉的蔚蓝色的高空中，这一天就变成壮丽无比的晴朗天气了。

现在你要出发到远离庄园的草原上去行猎了。你的车子在乡间土道上行驶了大约十俄里，终于来到了大道上。你经过无数的货车旁边，经过几家大门敞开的旅店旁边，望见里面有一口井，屋檐下还有茶炊吱吱地沸腾着；你的车子从一个村庄开到另一个村庄，穿过一望无际的原野，沿着绿色的大麻田，长久地行驶着。喜鹊从一棵柳树飞到另一棵柳树；农妇们手里拿着长长的草耙，正在田野里慢慢地走；一个行路人穿着一件破旧的土布外套，肩上背着一只行囊，拖着疲劳的步子行走着；地主家的笨重的轿形马车上套着六匹高大而疲乏的马，向你迎面而来。车窗里露出垫子的角；一个穿大衣的侍仆扶着绳子，横着身子，坐在马车后面的脚镫上的一只蒲包上，泥污一直溅到眉毛上。现在你来到了一个小县城里，这里有木造的歪斜的小屋子、无穷尽的栅栏、不住人的石造商店、深谷上的古老的桥……再走远点，再走远点！……来到了草原地带。你从山上眺望，风景多么好!一个个全部耕种过的圆圆低低的丘陵，像巨浪一般起伏着；长满灌木丛的溪谷蜿蜒在丘陵中间；一片片小小的丛林像椭圆形的岛屿一般散布着；狭窄的小径从一个村庄通到另一个村庄；各处有白色的礼拜堂；柳丛中间透出一条亮闪闪的小河，有四个地方筑着堤坝；远处原野中有一行野雁并列地站着；在一个小池塘上，有一所古老的地主邸宅，附有一些杂用房屋、一个果园和一个打谷场。然而你的车子继续向前行驶。丘陵越来越小了，树木几乎看不见了。终于，你来到了一片茫无际涯的草原上！

在冬天的日子里，你在高高的雪堆上追逐兔子，呼吸严寒刺骨的空气，柔软的雪的耀目而细碎的闪光，使你的眼睛不由自主地要眯拢来，你欣赏着红澄澄的树林上面的青天，这一切多么可爱啊!……在早春的日子里，当四周一切都发出闪光而逐渐崩裂的时候，通过融解的雪的浓重的水汽，已经闻得出温暖的土地的气息；在雪融化了的地方，在斜射的太阳光底下，云雀天真烂漫地歌唱着，急流发出愉快的喧哗声和咆哮声，从一个溪谷奔向另一个溪谷……

但是现在应该结束了。我正好又讲到了春天：在春天容易别离，在春天，幸福的人也会被吸引到远方去……再见了，我的读者，祝您永远称心如意。

# 没有比自己的窝更舒适的地方了

阿尔丰斯·都德

最为吃惊的是那些野兔！很久以来，它们总看见磨坊的门关着，墙壁和平台都长满了青草，最后它们终于认定这家磨坊的主人没有后代。它们觉得这是个好地方，便将它布置得像一个总司令部；一个战略中心：兔子们的冉马普磨坊……我到达磨坊的那个晚上，不骗你，足足有二十来只兔子，围坐在平台上，正借着月光暖它们的脚爪……天窗刚打开一半，就听见哧溜一声！这支露营部队立即溃逃。所有这些兔子都露着又小又白的屁股，翘着尾巴，逃进矮树丛里去了。我满心希望它们能再回来。

还有一个看见我时也万分惊奇，它是住在二楼的房客，一只长着思想家脑袋的阴险的老猫头鹰，它在这里住了二十多年。我在楼上的房间里发现它时，它一动不动端端正正地蹲在一堆泥土和掉下的瓦砾之间的风车传动横轴上。它瞪着圆鼓鼓的眼睛看了我一眼，然后，它显得非常惊慌，因为它不认识我，它开始“呜呜”叫了起来，同时费力地抖动着它那满是灰尘的灰色翅膀；这些爱沉思默想的魔鬼啊！从不洗刷自己……这无关紧要。它现在的这副模样，眨着眼睛，皱着眉毛，使这位沉默的房客比别的房客更叫我开心，我急忙与它签订了新的租约。它像往常一样占用磨坊的顶楼，从屋顶上进出；而我则住在下面的一间刷过石灰的小屋子里，这间屋子又矮又拱，如同修道院的食堂。我就是在这间屋子里给你写信，房门大开，灿烂的阳光照了进来，一片闪耀着金色阳光的美丽的松树林，从我面前一直向下伸展到山坡下面。阿尔比列斯群峰纤细的山脊在天边清晰地勾勒出来……万籁俱寂……只有偶尔从远处传来的一丝笛声，熏衣草丛中的杓鹬的一声鸣叫和大路上的骡子一声铃铛响……普罗旺斯所有的秀丽多姿的景色只有在阳光下才能见到。现在，你要我怎样对你那嘈杂黑暗的巴黎感到遗憾呢?我住在自己的磨坊里是多么惬意啊！我找到的这个角落是这么舒适，这个温馨的小天地远离报纸，远离马车，远离烟雾！……我周围有多少美妙的事物啊！我在这里才住了八天，但我的大脑却被种种印象和回忆填满了……喏！就在昨天傍晚，我目睹了大批羊群返回山脚下的农庄时的情景，我向你发誓，我不会拿这幅情景同你交换这一星期你在巴黎看到的所有节目的首场演出。你不妨想象一下！

应该告诉你，在普罗旺斯，一到夏天，就把牲畜赶进阿尔卑斯山，这已成了一种惯例。牲畜和放养它们的牧人要在山上待五六个月的时间，在美丽的星光下，在齐腰深的草丛中露宿；此后，秋风刚吹起来，他们就开始下山，返回农庄，让牲畜舒舒服服地在散发着迷迭香香气的灰色小山冈上啃吃青草……昨天傍晚见到的就是羊群归来的情景。一大早， 牲畜棚就敞开两扇大门等待着,，羊舍铺满了清新的干草。人们每隔一个小时都要估计一下：“现在他们到了埃吉叶尔，再到了巴拉杜。”后来，傍晚时分，突然传来一声高喊：“他们回来了！”是我们看见远处的羊群在飞扬的尘土中奔跑。整个大道仿佛在跟它们一起移动……走在队伍最前头的是老公羊，它们的两只犄角伸向前方，样子很野蛮；跟在它们后面的是肥大的绵羊，母羊显得有些疲倦，小羊挤在母羊的四蹄中间；那些头上系着红绒球的母驴背上驮着装有刚生下来的小羊羔的篮子，边走边摇；再后面是大汗淋漓的牧羊犬舌头拖到了地面上；两个身材高大，流里流气的牧羊人，披着棕色的粗斜纹呢大衣，一直拖到脚跟，就像祭司的长袍。

这支队伍排成纵队，喜气洋洋地从我们面前经过，涌进牲畜棚的大门，响起暴雨般的蹄声……该看看屋里出现了何等热烈的场面。长着珠罗纱一样的羽冠的肥大的绿色金色的孔雀，站在它们的栖架上，认出了这些归来者后，即发出小号般洪亮的叫声，欢迎它们。睡得正酣的家畜都被惊醒了。鸽子，鸭子，火鸡，珠鸡全都站了起来。整个家禽饲养场像疯了一样；母鸡在讲述过夜的故事！……仿佛每一只绵羊的绒毛里都携带了野生的阿尔卑斯山高山牧场的芬芳，带回了一点大山上的活泼气息，使它们陶醉，使它们翩翩起舞。

在这一片喧闹声中，羊群找到了自己的窝。没有比自己的窝更舒适的地方了，老山羊又见到它们的食槽，激动不已。在这次旅程中生下来的那些很小很小的羊羔从未见过农庄的模样，正吃惊地打量四周。但最让人感动的是那些牧羊犬，这些尽忠职守的牧羊犬，它们忙着跟随羊群，在农庄里只负责看守羊群。在羊群回到羊舍，小格子门插上大门闩以及牧羊人到饭厅就餐之前，不管看家狗在狗窝里怎么呼唤它们，不管汲水桶从水井里打起多么清凉的水，向它们示意，它们都不会去听，也不去看。最后，它们才乐意回到自己的窝里，在那里一边舔吃盆里的菜汤，一边向农庄里的伙伴讲述它们在高山上从事的工作，那是一个黑黢黢的地方，那里有狼，还有缀满露珠的高大深红的毛地黄。

# 你能想到去旅行，不也是很好吗

欧内斯特·米勒尔·海明威

当时有的是坏天气。秋天一过，这种天气早晚会来临。夜间，我们只得把窗子都关上，免得雨刮进来，而冷风会把壕沟外护墙广场上的树木的枯叶卷走。枯叶浸泡在雨水里，风驱赶着雨扑向停泊在终点站的巨大的绿色公共汽车，业余爱好者咖啡馆里人群拥挤，里面的热气和烟雾把窗子都弄得模糊不清。那是家可悲的经营得很差劲的咖啡馆，那个地区的酒鬼全都拥集在里面，我是绝对不去的，因为那些人身上脏得要命，臭气难闻，酒醉后发出一股酸臭味儿。常去业余爱好者咖啡馆的男男女女始终是醉醺醺的，或者只要他们能有钱买醉，就是这样，大多喝他们半升或一升的买来的葡萄酒。有许多名字古怪的开胃酒在做着广告，但是喝得起的人不多，除非喝一点作为垫底，然后把葡萄酒喝个醉。人们管那些女酒客叫作Poivrottes，那就是女酒鬼的意思。

业余爱好者咖啡馆是穆费塔路上的藏污纳垢之所，这条出奇狭窄而拥挤的市场街通向壕沟外护墙广场。那些老公寓房子都装着下蹲式厕所，每层楼的楼梯旁都有一间，在蹲坑两边各有一个刻有防滑条的水泥浇成的凸起的鞋形踏脚，以防房客如厕时滑倒，这些下蹲式厕所把粪便排放入污水池，而那些污水池在夜间由唧筒抽到马拉的运粪车里。每逢夏天，窗户都开着，我们会听到唧筒抽粪的声音，那股臭气真教人受不了。运粪车漆成棕色和橘黄色，当这些运粪车在勒穆瓦纳红衣主教路缓缓前进时，那些装在轮子上由马拉着的圆筒车身，在月光下看去好像布拉克的油画。可是没有人给业余爱好者咖啡馆排除污秽，它张贴的禁止公众酗酒的条款和惩罚的法令已经发黄，沾满蝇屎，没人理睬，就像它的那些顾客一样，始终一成不变，身上气味难闻。

随着最初几场寒冷的冬雨，这座城市的一切令人沮丧的现象都突然出现了，高大的白色房子再也看不见顶端，你在街上走，看到的只是发黑的潮湿的路面，关了门的小店铺，卖草药的小贩，文具店和报亭，那个助产士——二流的——以及诗人魏尔伦在那里去世的旅馆，旅馆的顶层有一间我工作的房间。

上顶层去大约要走六段或八段楼梯，屋里很冷，我知道我得去买一捆细枝条，三捆铅丝扎好的半支铅笔那么长的短松木劈柴，用来从细枝条上引火，加上一捆半干半湿的硬木爿才能升起火来，让房间暖和，这些要花我多少钱啊。所以我走到街对面，抬头看雨中的屋顶，看看是否有烟囱在冒烟，烟是怎样冒的。一点没有烟，我想起也许烟囱是冷的，不通风，还想起室内可能已烟雾弥漫，燃料白白浪费，钱随之付诸东流了，就冒雨继续前行。我一直走过亨利四世公立中学、那古老的圣艾蒂安山教堂、刮着大风的先贤祠广场，然后向右拐去躲避风雨，最后来到圣米歇尔林荫大道背风的一边，沿着大道继续向前经过克吕尼老教堂和圣日耳曼林荫大道，直走到圣米歇尔广场上一家我熟悉的好咖啡馆。

这是家令人惬意的咖啡馆，温暖、洁净而且友好，我把我的旧雨衣挂在衣架上晾干，并把我那顶饱受风吹雨打的旧毡帽放在长椅上方的架子上，叫了一杯牛奶咖啡。侍者端来了咖啡，我从上衣口袋里取出一本笔记簿和一支铅笔，便开始写作。我写的是密歇根州北部的故事，而那天风雨交加，天气很冷，正巧是故事里的那种日子。我历经少年、青年和刚成年的时期，早已见过这种秋天将尽的景象，而你在一个地方写这种景象能比在另一个地方写得好，那就是所谓把你自己移植到一个地方去，我想，这可能对人跟对别的不断生长的事物一样是必要的。可是在我写的小说里，那些小伙子正在喝酒，这使我感到口渴起来，就叫了一杯圣詹姆斯朗姆酒。这酒在这冷天上口真是美极了，我就继续写下去，感到非常惬意，感到这上好的马提尼克朗姆酒使我的身心都暖和起来。

一个姑娘走进咖啡馆，独自在一张靠窗的桌子旁坐下。她非常俊俏，脸色清新，像一枚刚刚铸就的硬币——如果人们用柔滑的皮肉和被雨水滋润而显得鲜艳的肌肤来铸造硬币的话。她头发像乌鸦的翅膀那么黑，修剪得线条分明，斜斜地掠过她的面颊。

我注视着她，她扰乱了我的心神，使我非常激动。我但愿能把她写进那个短篇里去，或者别的什么作品中，可是她已经把自己安置好了，这样她就能注意到街上又注意到门口，我看出她原来是在等人。于是我继续写作。

这短篇在自动发展，要赶上它的步伐，有一段时间我写得很艰苦。我又叫了一杯圣詹姆斯朗姆酒，每当我抬头观看，或者用卷笔刀削铅笔，让刨下的螺旋形碎片掉进我酒杯下的小碟子中时，我总要注意看那位姑娘。

我见到了你，美人儿，不管你是在等谁，也不管我今后再不会见到你，你现在是属于我的，我想。你是属于我的，整个巴黎也是属于我的，而我属于这本笔记簿和这支铅笔。

接着我又写起来，我深深地进入了这个短篇，迷失在其中了。现在是我在写而不是它在自动发展了，而且我不再抬头观看，一点不知道是什么时间，不去想我此时身在何处，也不再叫一杯圣詹姆斯朗姆酒了。我喝腻了圣詹姆斯朗姆酒，不再想到它了。接着这短篇完成了，我感到很累。我读了最后一段，接着抬起头来看那姑娘，可她已经走了。我希望她是跟一个好男人一起走的，我这样想。但是我感到悲伤。

我把这短篇合起在笔记簿里，把笔记簿放进上衣的暗袋，向侍者要了一打他们那儿有供应的葡萄牙牡蛎和半瓶干白葡萄酒。我每写好一篇小说，总感到空落落的，既悲伤又快活，仿佛做了一次爱似的，而我肯定这次准是一篇很好的小说，尽管还不能确切知道好到什么程度，那要到第二天我通读一遍之后才知道。（作者谈到这篇小说的创作过程，指的是《在密执安北部》）

我吃着那带有强烈海腥味和淡淡的金属味的牡蛎，一边呷着冰镇白葡萄酒，嘴里只留下那海腥味和多汁的蛎肉，等我从每个贝壳中吸下那冰凉的汁液，并用味道清新的葡萄酒把它灌下肚去，我不再有那种空落落的感觉，开始感到快活并着手制订计划了。

既然坏天气已经来临，我们大可以离开巴黎一个时期，去到一个不下这种雨而会下雪的地方，那儿雪穿过松林飘落下来，把大路和高高的山坡覆盖起来，在那个高处，我们夜间走回家去的时候，会听到脚下的雪吱嘎吱嘎地响。在前锋山南有一所木制农舍式的别墅，那里的膳宿条件特佳，我们可以一起住在那里，看我们的书，到夜晚暖和的一起睡在床上，敞开着窗子，只见星光灿烂。那是我们可以去的地方，乘三等车价钱并不贵，那儿的膳宿费比我们在巴黎花费的并不多多少。

我要把旅馆里那间我写作的房间退掉，这样就只需付勒穆瓦纳红衣主教大街74号的房租了，那是微不足道的。我给多伦多（指《多伦多星报》，海明威早年曾任该报驻巴黎记者，后来才辞职当专业作家）写过一些新闻报道，它们的稿费的支票该到了。在任何地方任何情况下我都能写这种报道，因此我们有钱做这次旅行。

也许离开了巴黎我就能写巴黎，正如在巴黎我能写密歇根一样。我不知道要这样做为时尚早，因为我对巴黎了解得还不够，但是最后巴黎却还就是这样写出来的。不管怎么说，只要我妻子想去，我们就去，于是我吃完牡蛎，喝干了葡萄酒，付了我在这咖啡馆里挂的账，便抄最近的路冒着雨——如今这只不过是当地的坏天气而已，而不是改变你的生活的什么东西了——赶回圣热内维埃弗山，回到山顶上的那套房间。

“我想这该是绝妙的，塔迪（Tatie是海明威给自己起的绰号）。”我妻子说。她长着一张线条优雅的脸，每次做出决定时，她的眼睛和她的笑容都会发亮，仿佛这些决定是珍贵的礼物似的。

“我们该什么时候动身？”

“随你想什么时候走都行。”

“啊，我想马上就走。难道你不早就知道吗？”

“也许等我们回来的时候，这儿天气就晴好了。等天晴了，变冷了，就会非常好。”

“我看天一定会好的，”她说，“你能想到出去旅行，不也是真好吗。”

# 我们走了，去寻找更辽阔的海洋

卡里·纪伯伦

昨天——昨天是多么远，又是多么近啊！——我和我的心一同来到大海，为的是用海水涤除附在我们身上的灰尘和泥垢。

我们到达海岸，便开始寻找一处不让别人看到的清静之地。

我们边走边看，忽然发现一个男子，坐在一块灰褐色的岩石上，手上有只袋子，他正从袋中一把一把地抓出盐来撒向大海。

我的心对我说："这是一个只看到生活阴影的悲观主义者，悲观主义者是不适于看到我们赤裸的身体的。让我们离开这个地方吧，因为这里没法洗浴。"

我们抛下了这个地方，继续前行，直到抵达岸边的一个小海湾。我们发现一个男子正立于一块白色岩石之上，手里擎着一个镶满珠宝的箱子，正从中掏出一些糖块，撒向大海。

我的心对我说："这是一位报告没有喜讯的喜讯的乐观主义者。小心别让乐观主义者看到我们赤裸的身体。"于是我们再次上路，直到遇见一个男子，他正站在岸边拣死鱼，随后又带着怜悯

把死鱼送回海中。

我的心对我说：“这是一位企图将生命送还墓中之尸的悲天悯人者，让我们离他远一点吧！”

尔后，我们来到另一个地方。我们看到一个男子正在沙滩上描画他的幻想，波浪涌来，抹去了他所画的东西，他一次又一次地接着画！

我的心对我说：“这是在其幻想中竖起一尊偶像以便加以崇拜的神秘主义者。让他干他的事吧！”

我们走啊走，来到一个寂静的海湾，见到一位男子从水面上撇起浮渣泡沫，然后装人一个玛膨瓶中。

我的心对我说：“这是一个用蛛丝编织衣服穿的空想主义者。他不配看到我们赤裸的身体。”

我们接着走，直到听见一个喊声：“这就是那深造的海！这就是那汹涌澎湃的大海。”

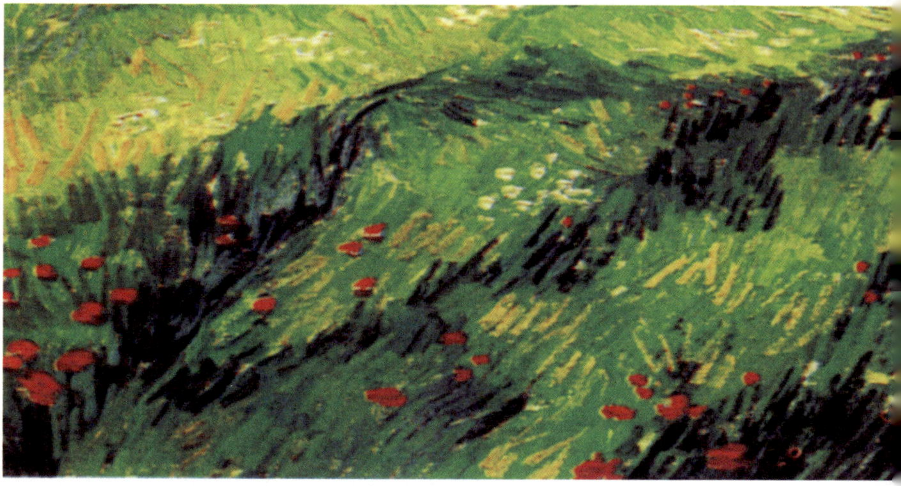

我们循声而去，发现一个男子转身背对着海站在那里，他把一个海螺置于耳上，细细倾听着它的声响。

我的心对我说："我们走吧，这是一个转身背对他不能把握的全局，且用让自己完全偏斜的种种局部困扰自己的事务主义者。"

我们又走了。直到看见草地上、岩石间有一位把头埋进沙子里的男子。

我对自己的心说："心儿啊！我们就在这里沐浴吧！因为这个人不可能看到我们。"

但我的心摇着头说道：

"不！一千个不！你看到的这个人，是所有人中最坏的一个！他是个遮遮掩掩不让他的心看到生活的悲剧，从而生活也就不让他的心看到其快乐的纯粹的虔信者。"

这时，我的心的脸上浮现出深沉的悲哀，她带着因痛苦而时断时续的声音说道：

"让我们离开这些海岸吧！这里没有一处僻静的地方可供我

们沐浴。我决不愿意在这样的风中梳理我的金色发辫，也不想在这天空面前袒露自己细嫩的胸脯，更不愿意脱得光光，赤身露体站立在这阳光之下。”

于是，我和我的心离开了这个大海。我们走了，去寻找更辽阔的海洋。

# 旅行是丰富人生阅历的最佳途径

弗朗西斯·培根

远游对于年少的人来说，无疑是教育的一部分，对于年长的人来说则是经验的一部分。没有学习过某个国家的语言而直接去这个国家，与其说是去那里游玩，倒不如说是去那里求学。我很赞成年少的人应当跟随导师或者带着可靠的从者去游历，只要那导师或者从者懂得所去的国家的语言，并且曾经到过那里就是了。因为如此，他就可以告诉那同去的年少的人在所去的那个国家里什么地方应当去看看，什么人应该去结识，并且有什么样的阅历训练可以收获。如果不是这样，年少的人去到国外就像雾里看花一样，尽管作客他乡，但是所获得的见闻是很少的。

远游的人有一个奇怪的习惯，当他们在海上航行的时候，除了天和海之外，没有什么可以看的，于是他们往往会写日记，但当他们在陆地上旅行的时候，有许多景象可以观察欣赏的时候，他们却往往懒得动笔，好像刻意的观察没有偶然的所见更值得去认真动笔记载，所以，我们必须养成写日记的习惯。

远游的人如果遇到该国的君王们接见各国使节的时候，应当观察这个国家的皇家宫廷；如果遇到法官开庭审案的时候，应当观察这个国家的讼庭法院；还应当观察各种教堂寺院以及其中的历史古迹；观察各个教派举行的宗教会议；观察码头和海港、遗迹和废墟；观察各城镇的墙垣及堡垒要塞；观察都市近郊壮美的建筑和花园；观察书楼和学校以及幸运遇到的答辩和演讲；观察马术、击剑、兵训及诸如此类的操演；观察当地上流人士趋之若鹜的戏剧；观察珠宝服饰和各类珍奇标本；观察这个国家的航运船队和军舰；观察军械库、大仓房、交易所和基金会。一句话，应该观察一切值得去看的风景名胜和当地的风俗民情，随行的导师或者贴身侍从会引导你去那些该去的地方。

至于化装舞会、庆祝大典、婚事葬礼以及行刑等热闹的场面，游玩者不必过分在意，但也不应该故意躲避。如果要让一名年纪较小的人在短时间内游历完一个小国家并且要求他收获很多，那么他必须做到以下几点：首先，就像上文所提到的，在动身之前他必须了解所去国家的语言；其次，他身边还得有一位熟悉这个国家的私人导师或随从；最后，他必须随身携带一些关于该国的书籍或地图，以便随时查阅来解决心中的疑惑；他还要养成写日记的习惯，坚持每天写日记；没有必要在一个城镇长久居住，时间的长短可视具体情况而定，但是不要停留太久；不仅在一个地方居住的时间不宜过长，而且要在那个地方不断地变换住处，这样可以认识更多的人；他尽量不要与本国的同胞交往，应该在可以结交当地人的地方用餐；从一个地方迁往另一个地方时，他必须获得来自另一个地方的上层人物的推荐信，这样的话

可以在适当的时候获得他的帮助，比如想结识一下当地的某些特殊人物或了解重要事情等。如果他可以做到这几点，那么就能在很短的时间内收获很多东西。

至于在旅行中应当与什么样的人相识，我觉得各国使节的秘书雇员之类的人是最值得结交的，这样你就可以在一个国家内获得多个国家的旅行经验。

游玩者也应该去拜访一下当地的名人，这样可以检验他们是否与自己的名声相符。旅行中说话一定要谨慎，防止不必要的争吵，要知道争吵的原因大多是为情人、饮酒、座位或说话冒失。游玩者与脾气暴躁且容易争吵的人一起旅行时一定要格外小心，因为后者极有可能把随行者也牵涉进他自己的争吵中。

远游的人回到自己的国家后，不要忘记与那些曾经结识的朋友保持联系，时刻在脑中回忆着经历过的那些国家。另外，仅仅让远游者穿着或者举止体现出其远游的经历，还不如直接在谈话中得到体现。但是在与别人的交谈中，关于自己的游玩经历要谨慎问答，不要只顾津津乐道。他还须注意一点，不要由于学习了国外的一些东西就改变或者放弃本国的某些风俗习惯，而应该把在国外学到的精华部分与本国的很好地结合起来。

# 人生拿趣味做根底

梁启超

假如有人问我："你信仰的什么主义？"我便答道："我信仰的是趣味主义。"有人问我："你的人生观拿什么做根底？"我便答道："拿趣味做根底。"

我生平对于自己所做的事，总是做得津津有味。什么悲观厌世这种字面，我所用的字典里头，可以说完全没有。

我所做的事，常常失败，可以严格地说没有一件不失败，然而我总是一面失败一面做。因为我不但在成功里头感觉趣味，就在失败里头也感觉趣味。

我每天除了睡觉外，没有一分钟一秒钟不是积极地活动。然而我绝不觉得疲倦，而且很少生病。因为我每天的活动有趣得很。

精神上的快乐，补得过物质上的消耗而有余。

趣味的反面，是干瘪，是萧索。

晋朝有位殷仲文，晚年常郁郁不乐，指着院子里的大槐树叹气，说道：“此树婆娑，生意尽矣。”一棵新栽的树，欣欣向荣，何等可爱。到老了之后，表面上虽然很婆娑，骨子里生意已尽。算是这一期的生活完结了。

殷仲文这两句话，是用很好的文学技能表达出那种颓唐落寞的情绪。我以为这种情绪是再坏没有的了。无论一个人或一个社会。倘若被这种情绪侵入弥漫，这个人或这个社会算是完了，再不会有长进，何止没长进，什么坏事都要从此孕育出来。

总而言之，趣味是活动的源泉。趣味干竭，活动便跟着停止。好像机器房里没有燃料，发不出蒸汽来，任凭你多大的机器，总要停摆。停摆过后，机器还要生锈，产生许多有害的物质哩。

人类若到把趣味丧失掉的时候，老实说，便是生活得不耐烦。那人虽然勉强留在世间，也不过是具行尸走肉。倘若整个社会如此，那社会便是痨病的社会，早已被医生宣告死刑。

# 你表现出来的悲伤也很美丽

克拉拉·瓦格纳

亲爱的度过糟糕一周的你：

我很抱歉，我无从知晓你的这一周为何很糟糕，也不知道实际情况到底有多糟。不知道你有没有找人倾诉，有没有什么方式可以让你好受一些，或者说现实是否让你更加难过。但是我清楚地知道，我为你一切不好的情绪感到深深地同情，无论是你受到伤害或者感到压力，抑或感到疲惫、悲伤、筋疲力尽、沮丧、孤独、害怕还是迷失。

我想象过用各种不同的方式来写这封信。我想象写一些可以让你感到好些的事情：比如对自己表示同情、出去看看树木或者看看自己儿时的照片；或者我也想象过将信的着重点放在，如果你用正确的方式来看待“糟糕的一周”，你或许会发现这一周实际很美好。我差一点就那样写了，也许将来会这样写。但是现在我最终决定不写这些。——我只是想让你们感到，有人听到了你们的心声。

作为人类本身，我们都渴望自己的悲伤被了解。如果有人能在这个时候对你说“是的，那听起来的确很糟”或者“你需要面对这些真的是太不幸了”，我们的内心都会感到些许好转或安慰。

但不幸的是，现实并不总能按照我们期望的方向发展。我们总是被告知需要隐藏自己的悲伤，展露自己的微笑。而这种表达方式让人并不舒服。

我想要让你知道，你可以在任何地方自由表露你的坏情绪，你甚至可以将它画在T恤上穿在你的身上。

我想要让你知道你表现出来的悲伤也很美丽，我会尽我最大的努力来尽量感受你的不幸。我想要让你知道，有坏情绪、压力感和小脾气的你与快乐时的你一样可爱。请不要再压抑自己的情感。

在写这篇文章时，我听到了你们的心声，请让自己尽快好起来。我希望你们日子恢复正常，即使不能，你仍然可以发现一些美好的瞬间或者苦中作乐一下。为了不让你们自己持续这种糟糕的日子，向前看，去享受生活吧！

# 我们何其幸运

维斯瓦娃·辛波斯卡

我何其幸运，因为我不是气象学家，不用知道云彩如何形成或气流里有什么成分，但我却可以用我的眼采集天边的流云，放在心里细品那份最抽象的唯美。

我何其幸运，因为我也不是动物学家，我不清楚鸟到底靠什么飞翔，我只知道阳光下那对神奇的羽翼，常常让我感应到蓝天白云之间有天使飞过的痕迹。

我何其幸运，因为我也不是植物学家，我至今都不太明了光合作用的原理，只是会近乎固执地钟情于那最简单的绿，坚信再小的林子里也会有可爱的精灵。

我何其幸运，因为我也不是地质学家，用不着去精密地推算海浪需要多少年将一块岩石变成神女的模样，而我会超越时空地想象，黑夜里上帝是怎样用无形的手在别具匠心地雕琢。

我何其幸运，因为我不是需要说谎的政治家或律师，也不是要在人身上开刀的医生，我甚至也不是开画展前需要盘算成本的艺术家。那我是什么？我什么都不是，我对这个世界也一无所知，这，也许便是我的幸运所在。

我们何其幸运，无法确知自己生活在什么样的世界。

# 你能听见群山的寂静吗

伊凡·蒲宁

我们是在夜里到达日内瓦的，正下着雨。拂晓前，雨停了。雨后初霁，空气变得分外清新。我们推开阳台门，秋晨的凉意扑面而来，使人陶然欲醉。由湖上升起的乳白色的雾霭，弥漫在大街小巷上。旭日虽然还是朦朦胧胧的，却已经朝气勃勃地在雾中放着光。湿润的晨雉轻轻地拂弄着盘绕在阳台柱子上的野葡萄血红的叶子。我们盥漱过后，匆匆穿好衣服，走出了旅社，由于昨晚沉沉地睡了一觉，精神抖擞，准备去做尽情地畅游，而且怀着一种年轻人的预感，认为今天必有什么美好的事在等待着我们。

“上帝又赐予了我们一个美丽的早晨，”我的旅伴对我说，“你发现没有，我们每到一地，第二天总是风和日丽？千万别抽烟，只吃牛奶和蔬菜。以空气为生，随日出而起，这会使我们神清气爽！不消多久，不但医生，连诗人都会这么说的……别抽烟，千万别抽，我们就可体验到那种久已生疏了的感觉，感觉到洁净，感觉到青春的活力。”

可是日内瓦在哪里？有片刻工夫，我们茫然地停下来。远处的一切，都被轻纱一般亮晃晃的雾覆盖着。只有街梢那边的马路已沐浴在霞光下，好似黄金铸成的。于是我们快步朝着被我们误认为是浮光耀金的马路走去。

初阳已透过雾霭，照暖了寂静无人的堤岸，眼前的一切无不光莹四射。然而山谷、日内瓦湖和远处的萨瓦山脉依然在吐出料峭的寒气。我们走到湖堤上，不由得惊喜交集地站住了脚，每当人们突然看到无涯无际的海洋、湖泊，或者从高山之巅俯视山谷时，都会情不自禁地产生这种又惊又喜的感觉。萨瓦山消融在亮晃晃的晨岚之中。在阳光下难以辨清，只有定睛望去，方能看到山脊好似一条细细的金线，迤逦于半空之中，这时你才会感觉到那边绵亘着重峦叠嶂。近处，在宽广的山谷内，在凉飕飕的、润湿而又清新的雾气中，横着蔚蓝、清澈、深邃的日内瓦湖。湖还在沉睡，簇拥在市口的斜帆小艇也还在沉睡。它们就像张开了灰色羽翼的巨鸟，但是在清晨的寂静中还无力拍翅高飞。两三只海鸥紧贴着湖水悠闲地翱翔着，冷不丁其中的一只，忽地从我们身旁掠过，朝街上飞去。我们立即转过身去望着它，只见它猛地又转过身子飞了回来，想必是被它所不习惯的街景吓坏了……朝暾初上之际有海鸥飞进城来，住在这个城市里的居民该有多幸福呀！

我们急欲进入群山的怀抱，泛舟湖上，航向远处的什么地方……然而雾还没有散，我们只得信步往市区走去，在酒店里买了酒和干酪，欣赏着纤尘不染的亲切的街道和静悄悄的金黄色的花园中美丽如画的杨树和法国梧桐。在花园上方，天空已被廓清，晶莹得好似绿松石一般。

“你知道吗，”我的旅伴对我说，“我每到一地总是不敢相信我真的到了这个地方，因为这些地方，我过去只能看着地图，幻想前去一游，并且时时提醒自己，这只不过是幻想而已。意大利就在这些崇山峻岭的后边，离我们非常之近，你感觉到了吗？在这奇妙的秋天，你感觉到南国的存在吗？瞧，那边是萨瓦省，就是我们童年时代阅读过的催人落泪的故事中所描写的牵着猴子的萨瓦孩子们的故乡！”

码头旁，游艇和船夫都在阳光下打着瞌睡。在蓝盈盈的清澈的湖水中，可以看到湖底的沙砾、木桩和船骸。这完全像是个夏日的早晨，只有主宰着透明的空气的那种静谧，告诉人们现在已是晚秋。雾已经消散得无影无踪，顺着山谷，极目向湖面望去，可以看得异乎寻常的远。我们迫不及待地脱掉上衣，卷起袖子，拿起了桨。码头落在船后了，离我们越来越远。离我们越来越远的还有在阳光下光华熠熠的市区、湖滨和公园……前面波光粼粼，耀得我们眼睛都花了，船侧的湖水越来越深，越来越沉，也越来越透明。把桨插入水中，感觉水的弹性，望着从桨下飞溅出来的水珠，真是一大乐事。我回过头去，看到了我旅伴那升起红晕的脸庞，看到了无拘无束地、宁静地荡漾在坡度缓坦的群山中间浩瀚的碧波，看到了漫山遍野正在转黄的树林和葡萄园，以及掩映其间的一幢幢别墅。有一刻间，我们停住了桨，周遭顿时静了下来，静得那么深邃。我们闭上眼睛，久久地谛听着，什么声音也没有，只有船划破水面时，湖水流过船侧发出的一成不变的汩汩声。甚至单凭这汩汩的水声也可猜出湖水多么洁净，多么清澈。

“划吗？”我问。

“慢着，你听！”

我把桨提出水面，连汩汩的水声也渐渐消失。从桨上滴下一颗水珠，然后又是一颗……太阳照得我们的脸越来越热……就在这时，一阵悠扬的钟声，从很远很远的地方飘至我们耳际，这是深山中某处的一口孤钟。它离我们那么远，有时我们只能隐隐约约听到它的声音。

“你还记得科隆大教堂的钟声吗？”我的旅伴压低声音问我。

“那天我比你醒得早，天还刚刚拂晓，我便站在洞开的窗旁。久久地谛听着独自在古老的城市上空回荡的清脆的钟声。你还记得科隆大教堂的管风琴和那种中世纪的壮丽吗？还有莱茵省，那些古老的城市，古老的图画，还有巴黎……然而那一切都无法和这里相比，这里更美……”由深山中隐隐传至我们耳际的钟声温柔而又纯净，闭目坐在船上，侧耳倾听着这钟声，享受着太阳照在我们脸上的暖意和从水上升起的轻柔的凉意，是何等的甜蜜，舒适。有一艘闪闪发亮的白轮船在离我们大约两俄里远的地方驶过，明轮拍击着湖水，发出疏远、喑哑、生气的嘟囔声，在湖面上激起一道道平展的、像玻璃一般透明的浪，缓缓地朝我们奔来，终于柔情脉脉地晃动了我们的小船。

“瞧，我们已置身在崇山的怀抱之中，”当轮船渐渐变小，终于隐没在远处以后，我的旅伴对我说，“生活已留在那边，留在这些崇山峻岭之外了，我们已进入寂静的幸福之邦，这寂静之邦何以名之，我们的语言中找不到恰当的字眼。”他一边慢慢地划着桨，一边讲着、听着。日内瓦湖越来越辽阔地包围着我们。钟声忽近忽远，似有若无。

“在深山中的什么地方有一座小小的钟楼，”我想到，“独自在用它回肠荡气的钟声赞颂着礼拜天早晨的安谧和寂静，召唤人们踏着俯瞰蓝色的日内瓦湖的山道，到它那儿去……”

极目四望，山上大大小小的树林都抹上了绚丽而又柔和的秋色，一幢幢环翠挹秀的美丽的别墅正在清静地度过这阳光明媚的秋日……我舀了一杯水，把茶杯洗净，然后把水泼往空中。水往天上飞去，迸溅出一道道光芒。

“你记得《曼弗雷德》吗？”我的同伴说，“曼弗雷德站在伯尔尼兹阿尔卑斯山脉中的瀑布前。时值正午。他念着咒语，用双手捧起一掬清水，泼向半空。于是在瀑布的彩虹中立刻出现了童贞圣母山……写得多美呀！此刻我就在想，人也可以崇拜水，建立拜水教，就像建立拜火教一样……自然界的神力真是不可思议！人活在世上，呼吸着空气，看到天空、水、太阳，这是多么巨大的幸福！可我们仍然感到不幸福！为什么？是因为我们的生命短暂，因为我们孤独，因为我们的生活谬误百出？就拿这日内瓦湖来说吧，当年雪莱来过这儿，拜伦来过这儿……后来，莫泊桑也来过。他孑然一身，可他的心却渴望整个世界都幸福。当年所有的理想主义者，所有的恋人，所有的年轻人，所有来这里寻求幸福的人都已弃世而去，永远消逝了。我和你有朝一日，同样也将弃世而去……你想喝点儿酒吗？”我把玻璃杯递过去，他给我斟满酒，然后带着一抹忧郁的微笑，补充道：“我觉得，有朝一日我将融入这片亘古长存的寂静中，我们都站在它的门口，我们的幸福就在那扇门里边。你是否记得易卜生的那句话：‘玛亚，你听见这寂静吗？我也要问你：‘你有没有听见这群山的寂静呢？’”

我们久久地遥望着重重叠叠的山峦和笼罩着山峦的洁净、柔和的碧空，空中充溢着秋季的无望的忧悒。我们想象着我们远远地进入了深山的腹地，人类的足迹还从未踏到过那里……太阳照射着四周都被山岭锁住的深谷，有只兀鹰翱翔在山岭与蓝天之间的广阔的空中……山里只有我们两人，我们越来越远地向深山中走去，就像那些为了寻找火绒草而死于深山老林中的人一样……

我们不慌不忙地划着桨，谛听着正在消失的钟声，谈论着我们去萨瓦省的旅行，商量我们在哪些地方可以逗留多少时间，可我们的心却不由自主地离开话题，时时刻刻在向望着幸福。我们以前所从未见到过的自然景色的美，以及艺术的美和宗教的美，不论是哪里的，都激起我们朝气蓬勃的渴求，渴求我们的生活也能升华到这种美的高度，用出自内心的欢乐来充实这种美，并同人们一起分享我们的欢乐。我们在旅途中，无论到哪里，凡是我们所注视的女性无不渴求着爱情，那是一种高尚的、罗曼蒂克的、极其敏感的爱情，而这种爱情几乎使那些在我们眼前一晃而过的完美的女性形象神化了……然而这种幸福会不会是空中楼阁呢？否则为什么随着我们一步步去追求它，它却一步步地往郁郁苍苍的树林和山岭中退去，离我们越来越远？

那位和我在旅途中一起体验了那么多欢乐和痛苦的旅伴，是我一生中所爱的有限几个人中的一个，我的这篇短文就是奉献给他的。同时我还借这篇短文向我们俩所有志同道合的萍飘天涯的朋友致敬。